★この作品はフィクションです。実在の人物・
団体・事件などには、いっさい関係ありません。

JUMP COMICS
NARUTO
－ナルト－
巻ノ三十八
修業の成果…!!
岸本斉史

主な登場人物
春野サクラ
うずまきナルト
うちはサスケ
サイ
ヤマト
はたけカカシ

前巻までのあらすじ

木ノ葉隠れの里、忍術学校の問題児だったナルトはサスケ、サクラと共に忍者の仲間入りを果たす。中忍選抜試験の最中、大蛇丸の〝木ノ葉崩し〟が始まるが、火影の命を代償に一旦終結、五代目火影に綱手が就任した。大蛇丸の力を求めたサスケは、止めるナルトを戦いでねじ伏せ里を去った…。それから二年余。修業を終えたナルトたちは、サスケと再会を果たす。だが、サスケの圧倒的な力の前に、取り逃がしてしまう。再びサスケを取り戻す力を得るために、修業を続けるナルト。そんな中、シカマルたちは「暁」相手に激闘を繰り広げる。そして、増援に到着したナルトの必殺技が遂に…!!

NARUTO

ーナルトー

巻ノ三十八

修業の成果…!!

風遁・螺旋手裏剣…
これで決めるってばよ！
タン
タン
ザッ
340：
危ない橋

ボクも
加勢する！

ダメだ ナルトに
近付くな
巻き添えを
食うよ！
！

……

これが
人柱力の
九尾の力か…
バケモノ
らしい術だ

ズオオ
ド
！
バッ

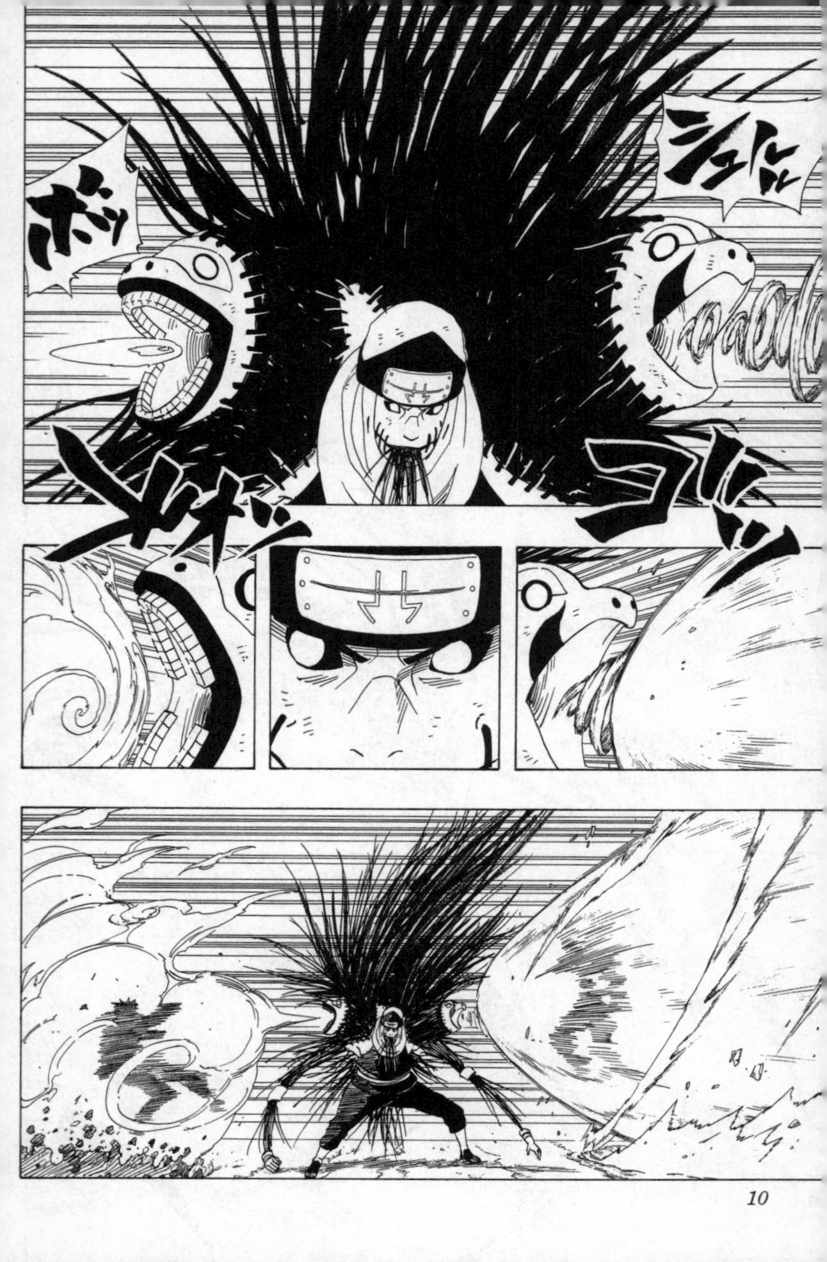
シュルル
ボッ
ゴッ

ボシュッ
!!
やらアー！
しまっ…

ホロヒュー

え？

…何？
勝ったの？

……へ
失敗だ

さすがは
意外性の忍者だ
やってくれる
ヤマト！

ハイ！

ギュルルルル
くそっ!
!
心臓をいただく
ググッ

バチ
チチ
ザザ

ズバッ
ハッ!!!
ザザ
ゴゴゴゴ

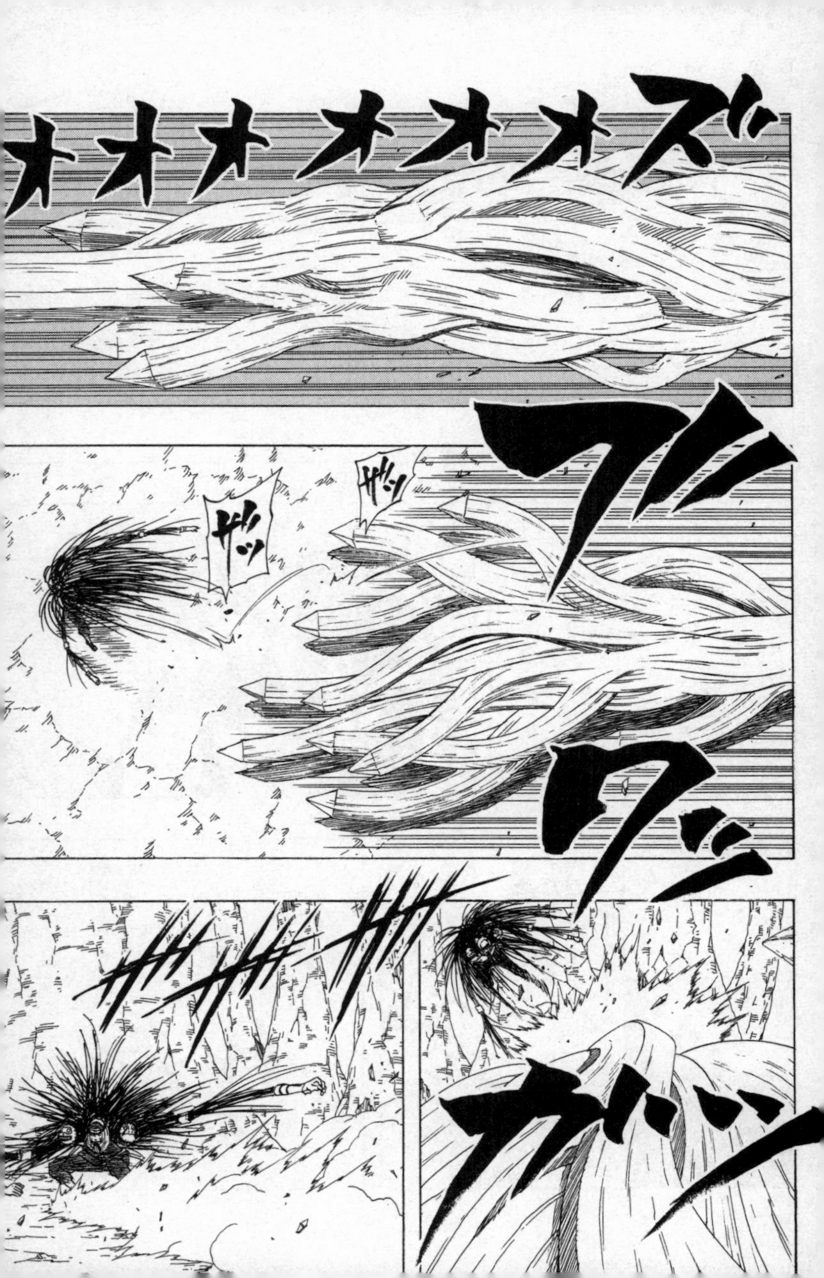

ズオオオオオオ
ザッ
ザッ
ブワッ

くっそォ〜〜!
……

カッコつけるだけつけといて…
ナルトらしいっつったらナルトらしいけど

螺旋手裏剣とか言うからビューって飛ばすのかと思ったら…
走ってぶつけないとダメなの?

何だよ!当たればスゲーんだぞ!!

んー…

螺旋手裏剣と
言っても
ゼロ距離で相手に
ぶつけないと
ダメなんです
ドドッ
だから影分身で
陽動をかけるのが
この術の基本だったん
ですが…

………

まだ新術の
発動持続時間が
短すぎるな
もって
数秒か…

…それじゃあ
当てられないよ
あんな奴
相手に…

あの術…
近付かなければ
大丈夫だな
接近戦を避け
術を持つオリジナルに
常に注意を払っていれば
さほど怖くはない

ドッ

もう一度
オレにやらせて
くれってばよ

………

新術で
決めてやる…

相手は
"暁"だよ…
また同じ事を
やっても
かわされるだけ
よ!

陽動がバレたら
もうダメだよ
みんなで
やろう!

確かにな……
この状況…
今は5対1だ
危ない橋を
渡る必要も無い

さて…どう来る

カカシ先生…
?

修業中に
オレに言った事
覚えてるか?

?

四代目火影を超える忍はお前しかいない…って
そう信じてるって

確かにチームワークは大切だ…
それは分かってる
でも今オレはその危ない橋を一人で渡りたいんだってばよ

向こうへたどりつけなきゃオレはいつまでたってもガキのままだ

その橋を外す様な事はしないでくれ

………

フッ… ヤマト お前はどうだ?
ええ… だって まだ見てないですよね

以前のナルトとは別人だってところ

…決まりだな

NARUTO 341：修業の成果…!!

いけ ナルト

オッス！

…
遠距離戦闘タイプに変えた方がいいな…

ぶアココ‥
うぐっ…

ズドオオオ

ズズズズン

…
うわっ…

体型を変えただけじゃなくチャクラもかなり練りこんでる…

ナルトの術に対応する為だな

影分身の術

ボボボン
ダッ
きたな…

よし！できたァ！
続けェ!!
ダッ
ザッ
ダ

!
バッ

とんだ!

後ろの陽動の影分身は無視だ
狙うはオリジナルただ一人

あの術さえ潰せば怖くない

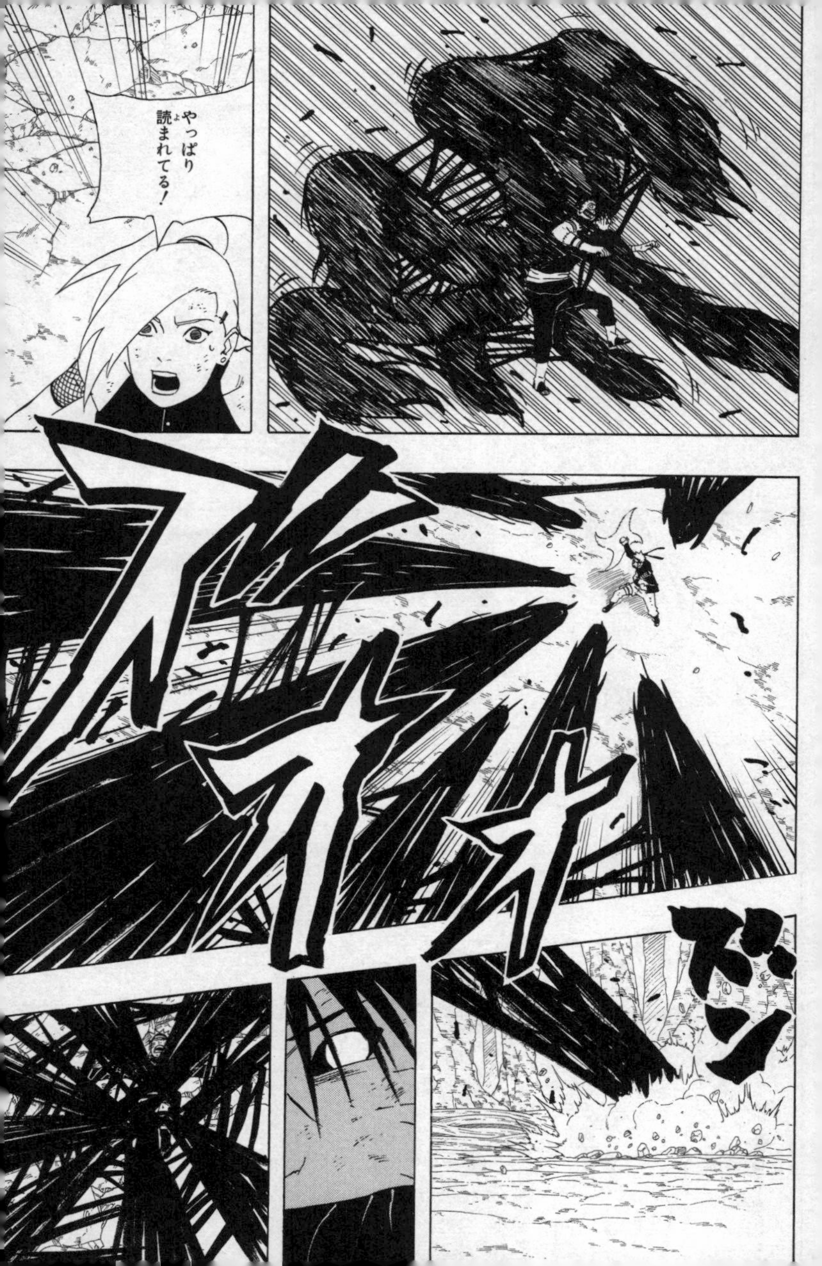
やっぱり読まれてる！

ボン
何!?
影分身だと!?

!
こいつ…陽動の中にオリジナルを！

当たりイイ!!

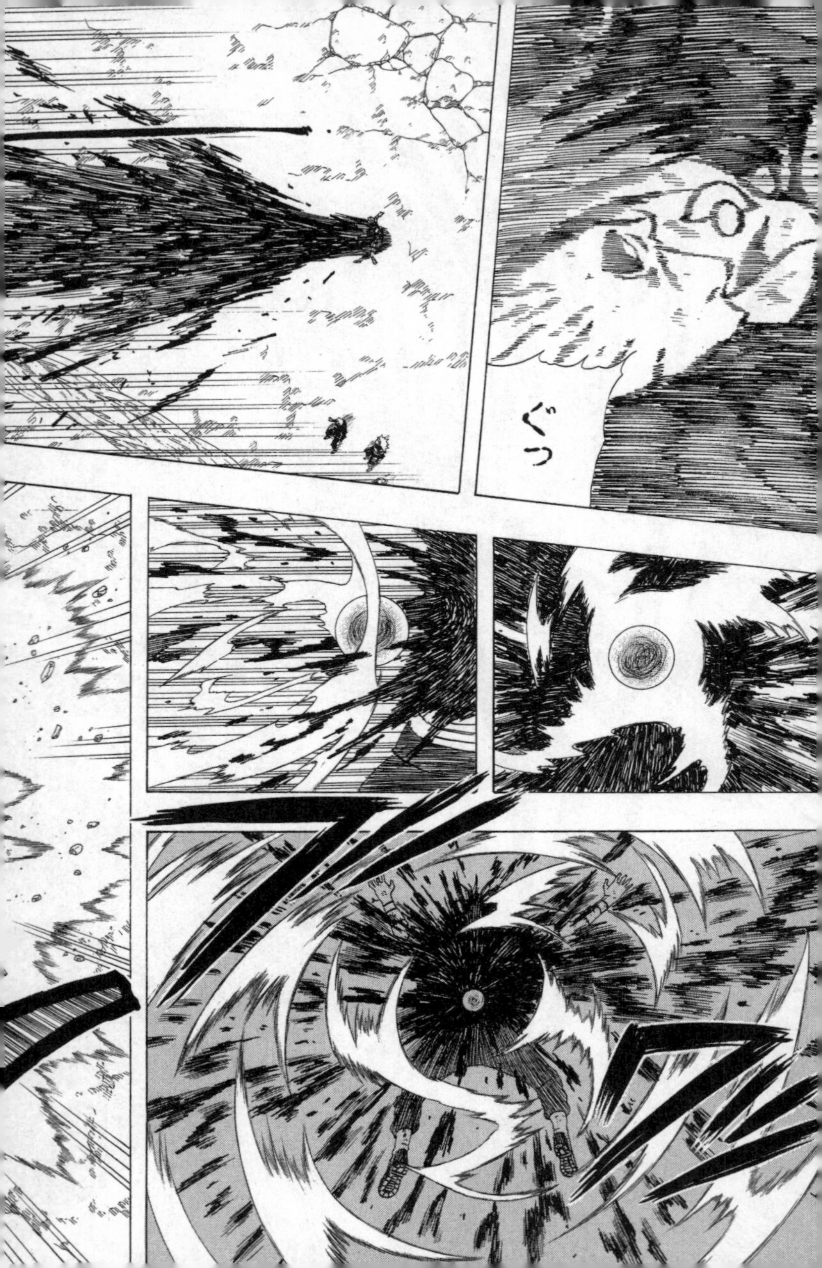
ぐっ

ドッ
ズ

ゴゴゴゴゴゴ
ゴッ
キャ!!
ズズオオオ
ドッ

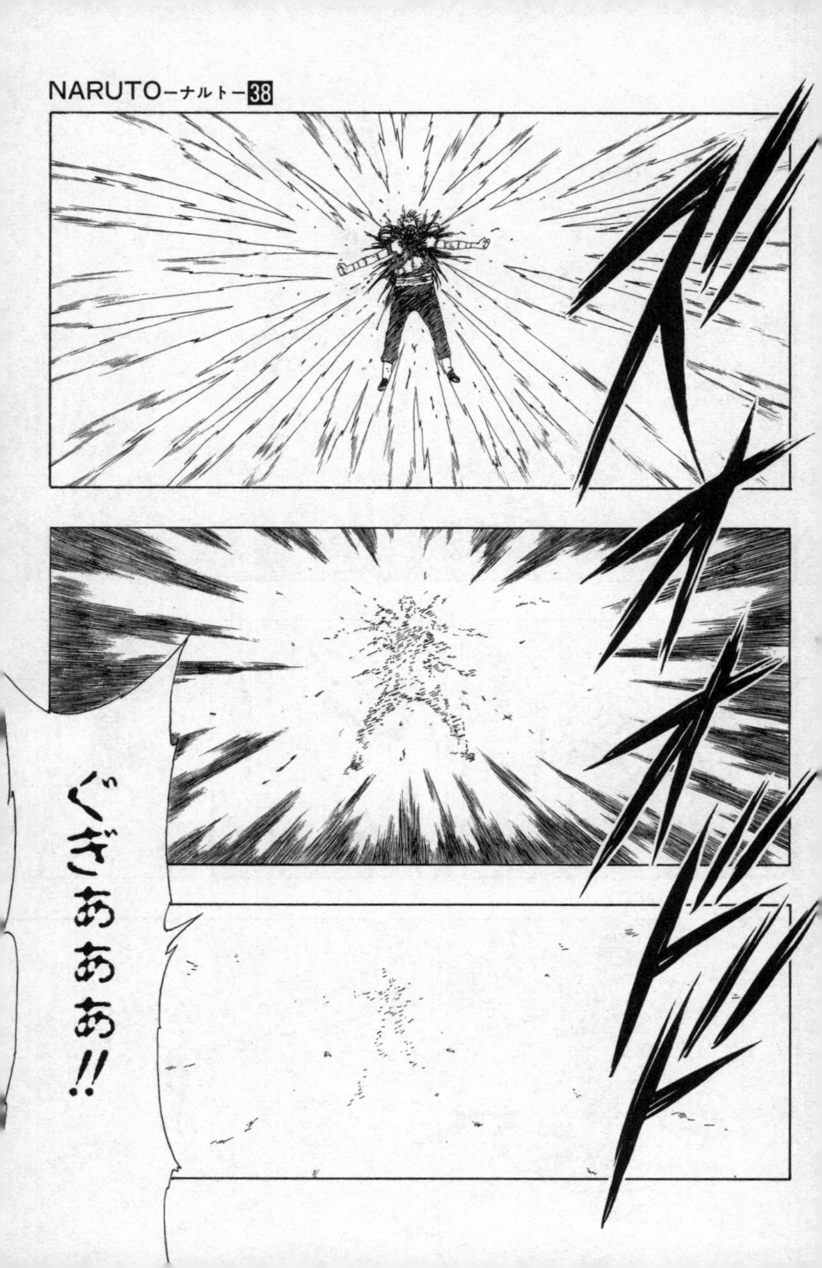
ぐぎあああ!!

バチバチ…
攻撃回数がケタ外れだ…
写輪眼でも見切れない

なんて術だ…

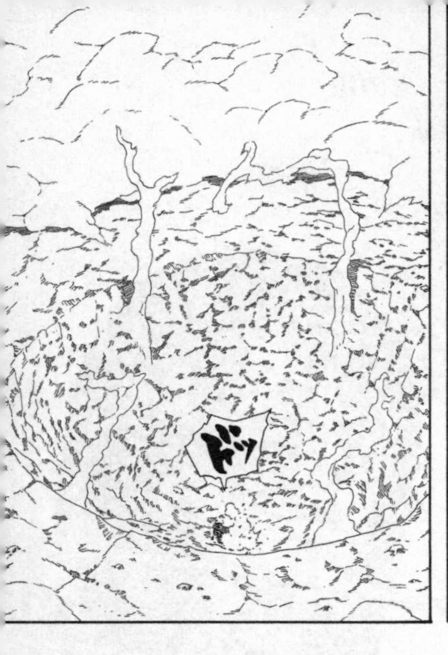
ドッ

へへ
よし…
やった…

[岸本斉史のアシスタント紹介　その10]

○アシスタントNo.10　佐藤敦弘

[プロフィール]

○ルーキーズ、デスノート、その他でとてつもなくハイレベルな仕事場でアシスタントをされていたベテラン！

○ハドソンゲーム、ボンバーマン。クリア後にボンバーマンがロードランナーになるのは有名だが、その早解き限定50人のライセンスを持っている。

○むちゃくちゃゲーム好きで、ゲームにやたらと詳しい。ストⅡがむちゃ強い。

○ザンギエフ(スキを見せたらすぐにグルグル回したおされる)

○ブランカ(スキを見せたらすぐにグルグルとんできてなぐりたおされる)

○ウルフ(スキを見せたらすぐにグルグル回しとばされてたおされる)

…ちなみにバーチャはやりはじめたばかり。

○プラモデルを作るのがすげーうまい（ガンプラ）。とにかく手先が器用。

342：玉…!!

ザッ

スタ
スタ

！
みつけたぞ
ザッ
ザッ

増援か
けど一足遅かったな

なに⁉ シカマル… アンタ一人で"暁"やっちゃったの？
この人案外すごいんですね

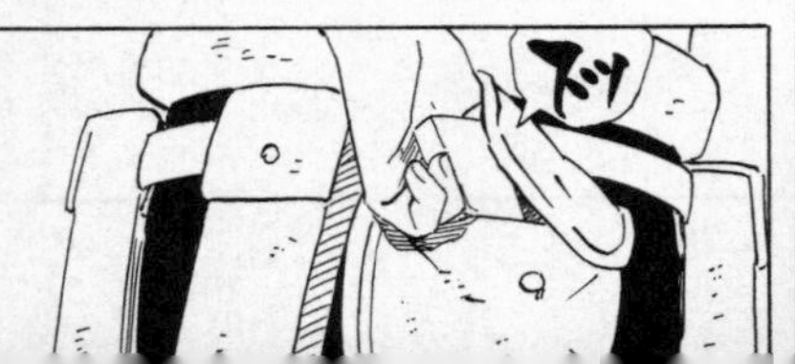
ズッ

今回ばかりは何がなんでももってやつだったんでな
…
そうよね…
向こうはどうなってる?
私達すぐにこっちへ向かったから…
すぐに合流しよう

まさか…陽動の中にオリジナルがいたとはねー

へへ…
シカマルほどじゃないけど…ナルトも頭いい方なんだな

シカマルと比べんなってばよ…

しかし…よく3発も作ったね新術…
修業でも2発が限界だったのに…

…

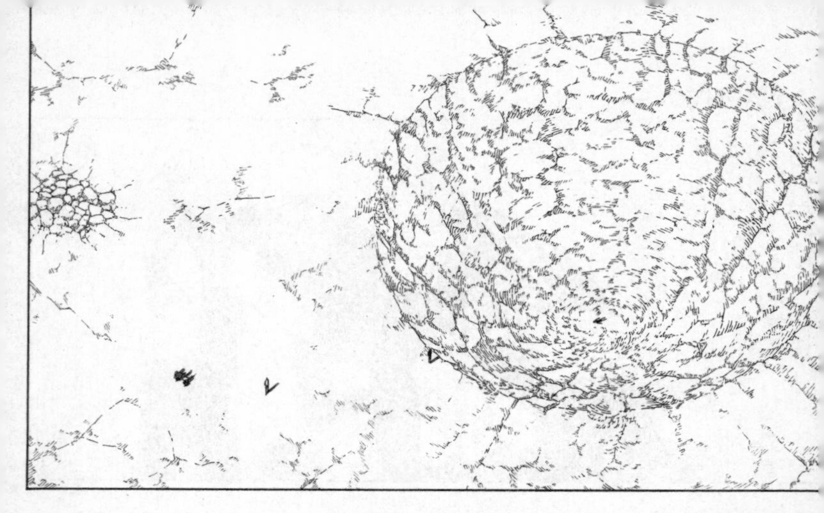

失敗してから
次を当てる為の
機転の速さ…
強い自信

ナルトはホントに
強くなってきた
あの四代目でも
なしえなかった術を
ここまで物にするとは…

そろそろ世代交代の
時代だな こりゃ
オレを超えやがったか…

…
感じてるか？

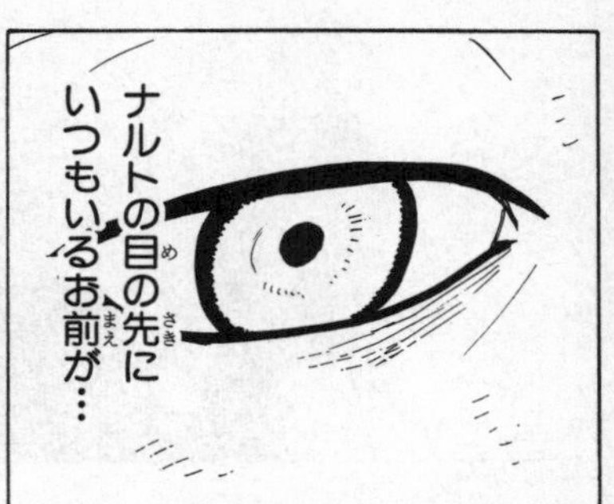
ナルトの目の先に
いつもいるお前が…

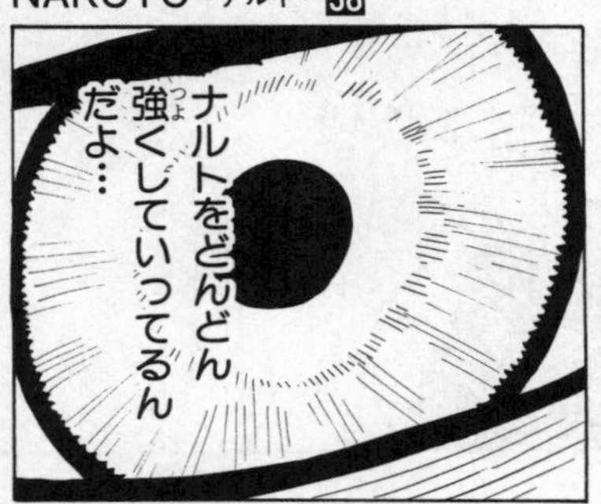
ナルトをどんどん
強くしていってるん
だよ…

なぁ…サスケ

先輩
そろそろ
ああ…

バッ
よし皆
木ノ葉へ帰るか

カカシ
先生は?
後始末…

くっ…

…お前らの…ような
ガキ共に…オレが…

まあね…初代火影と闘った事のあるアンタだ…
…オレ達がガキに見えるだろうが
オレ達から見たらただのズレた老いぼれだ

だからアンタは今ここで死にかけはいつくばってる
バチチチチチ

次から次へと
新しい世代が追い抜いていくのさ
チチチ

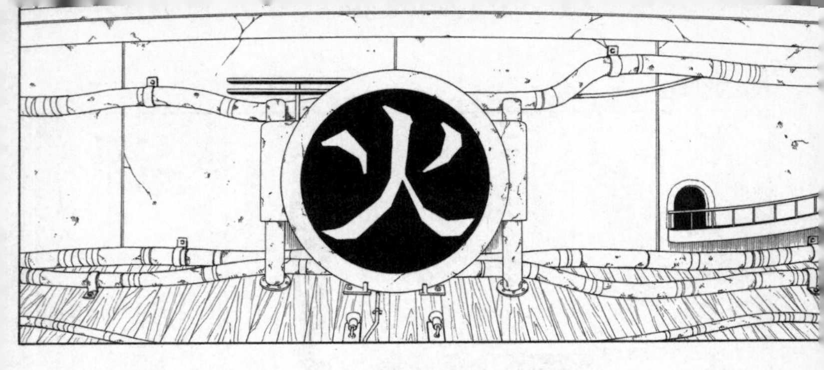

皆ご苦労だった

だが"暁"はまだいる…
これからも気をぬくんじゃないよ

これからお前達2班にはしばしの休養をあたえる
それから…

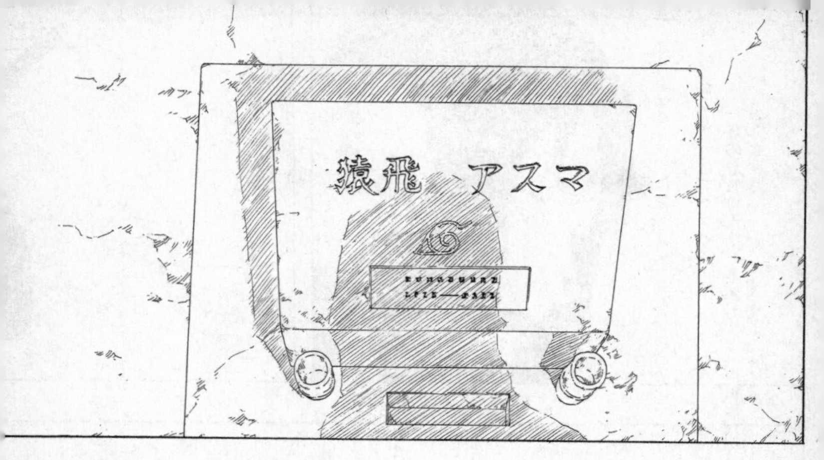
猿飛　アスマ

出歩いていいんですか？
！

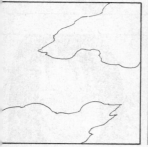

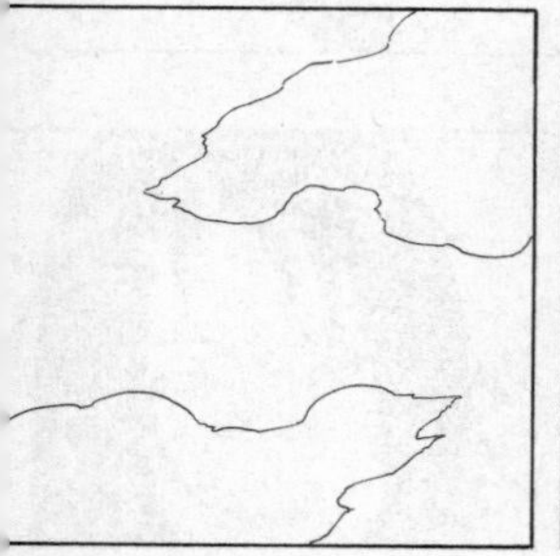

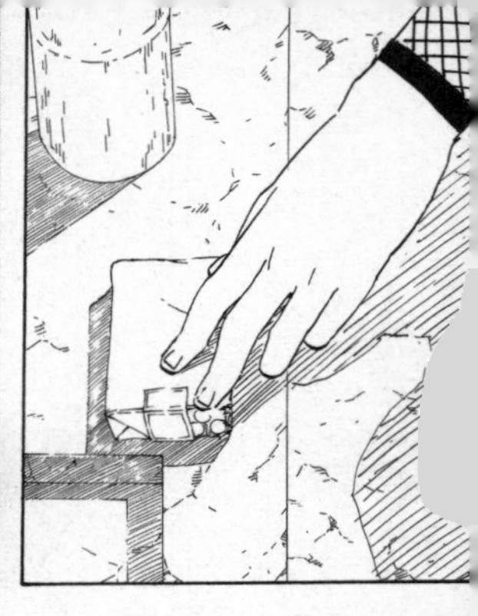

将棋の相手がいなくなったわね…
アナタはアスマの一番のお気に入りだったから
さみしくなるでしょ…

大切な事からくだらない事までいろんな事を教えてくれたんすよ
将棋もその一つだった

さみしくないっつったらウソになりますけど
オレももうガキのままじゃいさせてもらえない世代ですから
ピーピー泣いていられないっスよ

……
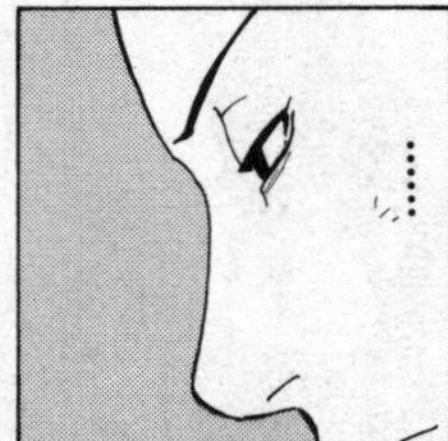
……
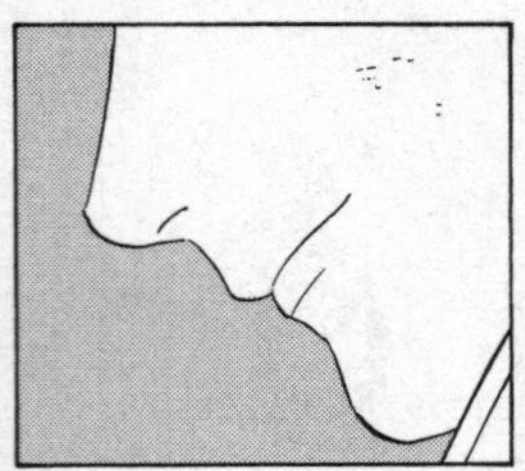

オレ…“めんどくせー”っていつもだだこねてたから
ガキの頃そのせいで失敗ばっかして…
…そのたびアスマに守られてばっかで…

それでかな…
つかみどころのない変な先生だったけど

オレにとっちゃむちゃくちゃカッコイイ大人だった

今度はオレの番すよ

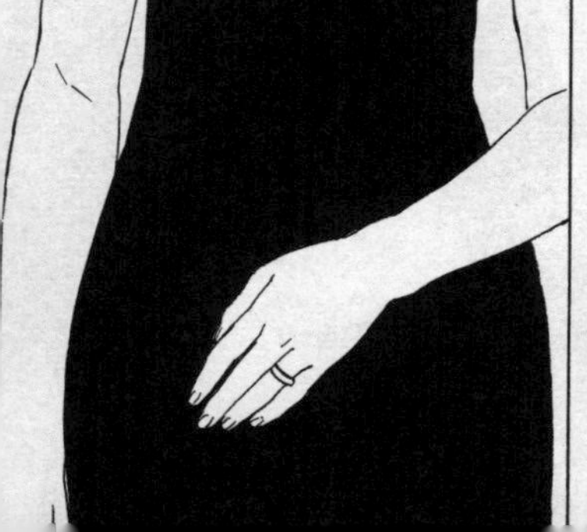

その子が産まれたら
今度はオレがその子を守る師ですから…
カッコイイ大人にならねーと！

……
……ありがとう

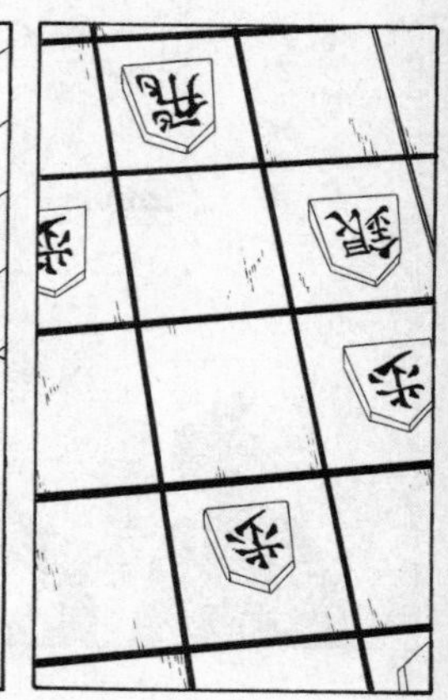

さすがオヤジ
アスマと違って
強えーな…

パチン

棒銀か
パチン

上手相手に
"玉"を守るため
には
犠牲も
やむないって
やつさ

そう逃げたら
ホラ
ここで
桂馬だぜ
パチン

金のどっちが
逃げても角が
成り込みか…
ったくその
桂馬いやらしい
手だぜ

木ノ葉の忍を駒に例えるなら
オレは桂馬だからな

何だそりゃ？
アスマがそう言ってた

……

ケッ…お前の性格をよく分かってやがったな…
パチ
アスマのやつも…

パチン
玉

なら〝玉〟は誰にあたる？

……

……
木ノ葉をになう
これからの子供達……
それが"玉"さ

よく分かってるじゃねーか…
…よっと王手
あ!

てめーが玉を守るにはまだまだ力が足りねーな!
精進しろよ!
くっそー!

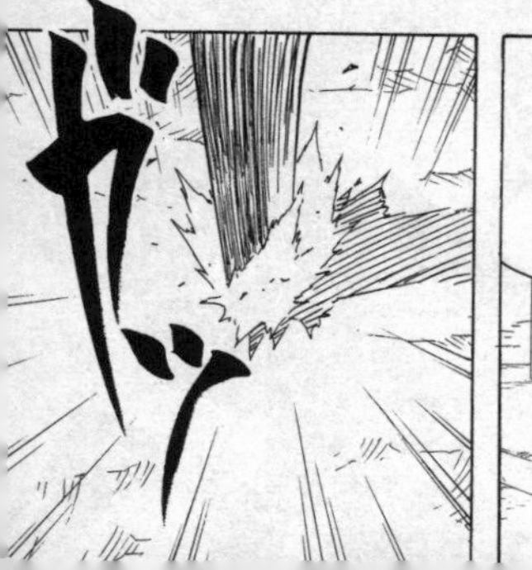
ガッ

これで全部か？
いてエー
う〜〜

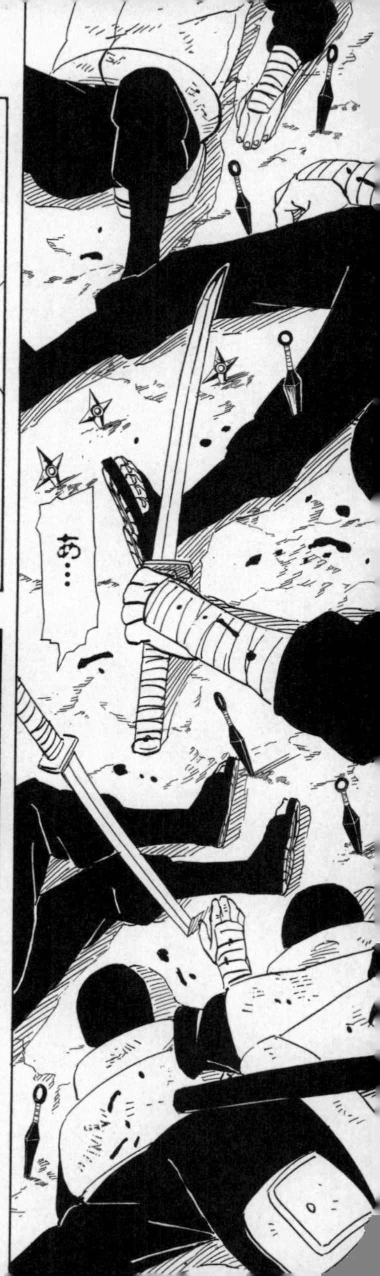
あ…

全員にとどめはさしてないわね
まだまだ甘い

殺したい奴は他にいる

パチン

343：非情に…

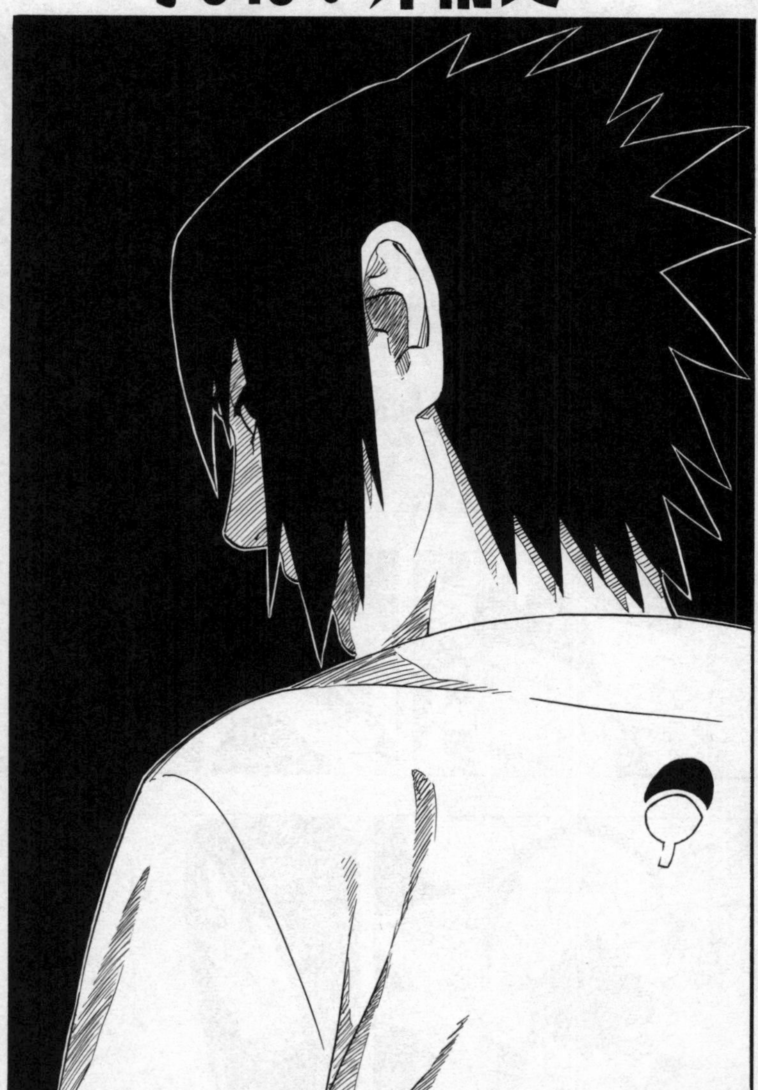

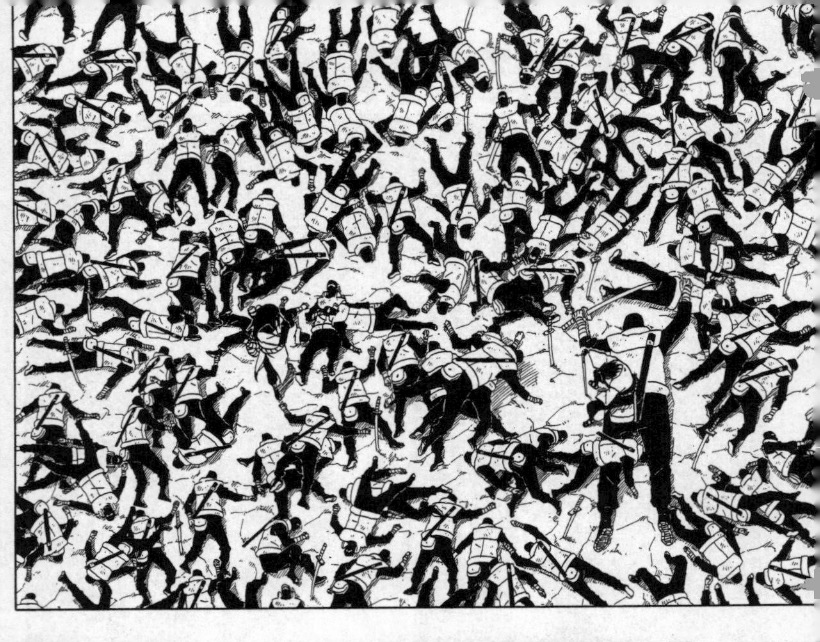

うっ……

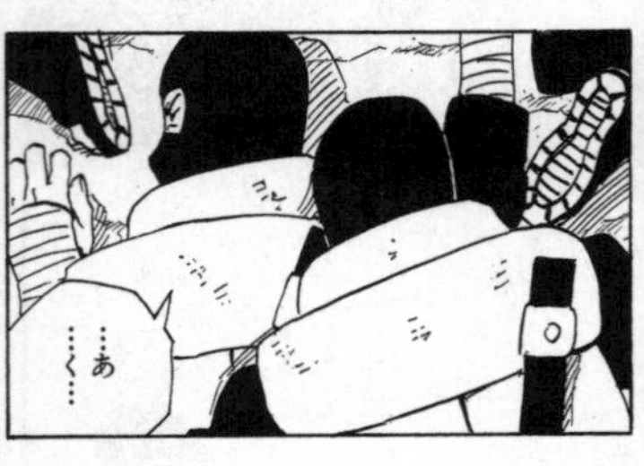

…あ
…く…

非情にならなければ
イタチには勝てないわよ

トサ…

あいつの前では非情になるさ
嫌が応でもな

ズボッ

ザッ

返り血を一滴も…
この子を見てると…天才と呼ばれていた自分が惨めに思えてくるわね…

シャキン

スタ
スタ

あと少し…
ほんの少しで私のもの…！

一楽
あちっ!!

やっぱ左手じゃ食いづれーってばよ…

ラーメン

何か所も骨折してる…体が術に持ちこたえられてない
シュウー
この新術はここぞって時だけ!
多用しちゃダメだからね!
へへ…大丈夫サクラちゃんが治してくれれば
そういう事言ってんじゃないの!
医療忍術で何でもすぐに完治するわけじゃないんだから!
………
でも…オレってばこういうの何か嬉しいんだ
え?

サクラちゃんと一緒に サスケに近付いてる気がすっから…
ガザッ
仕方ないわね
ハシ貸して
!
も…もしかしてサクラちゃん…
オレにラーメンを…

ハイ
あ～ん♪
熱っ!!!
ビクッ
熱い上に
そこは
お前じゃねーだろがァ!!!
ズイッ

おーい

友達が困ってる
時は 手助けを
する
それが
本当の友達だと
本にはそう…
そんな本を
読む前に
空気を読めって
ばよ!空気を!!
カカシ
先生!
んー―?
何やら
騒がしいねぇ

ちぇ!結局
カカシ先生かよ!

病院で寝込まないなんて珍しいですね…カカシ先生
そんなイメージ付いちゃってるのね…今のオレ…
ショック…

…ま
今回は万華鏡写輪眼を使わずに済んだからな

あの時お前達が駆けつけてくれなかったら
また使っていた確実に

今頃イメージ通りベッドの上だったな
アハハ

ナルト
お前は確かに
強くなった
オレと
肩を並べるか
それ以上だ…

だが
大きな術であれば
あるほど
術者には
それ相応のリスクが
ある事も
頭に入れておけ

うん…

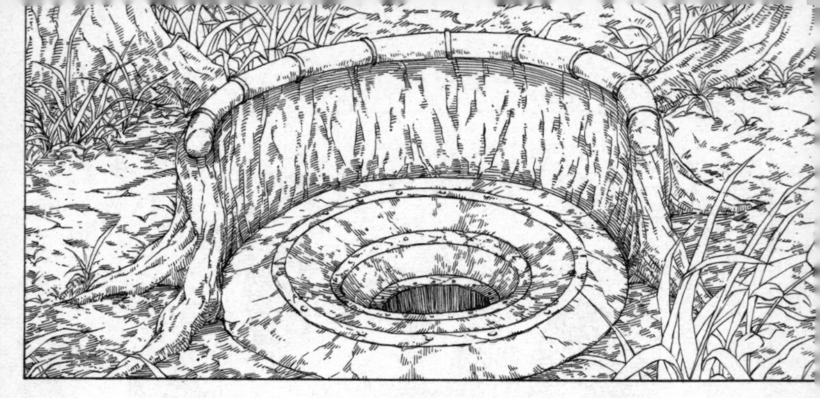

ゲホッ
ゲホッ
もう…限界ですね
これだとランク10の薬を投与しないと体が…

ハァ
ハァ

ドッ
薬を取り替えてきます

ギィ…
少しお待ち下さい
バタン

クク……
クハハハハハハアァ

………

ハハッ…
ゲホッ！
ゲホッ！

！

ザッ
ヒュ
ザッ

このチャクラ性質は…
だがこんな形態変化は見た事が無い
誰なの？
ザァ
ガラ

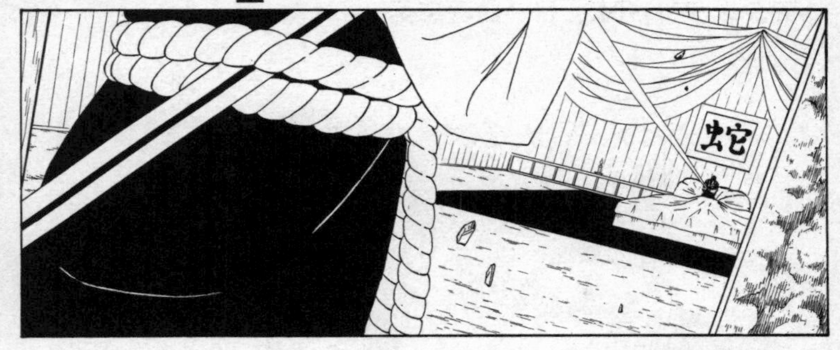
蛇

やっぱり…
そう来たわね

もう
アンタに教わる事は
何も無い

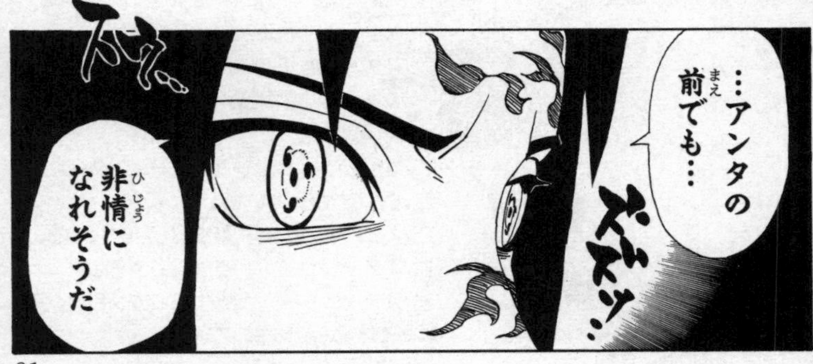
…アンタの
前でも…
ズォッ…
非情に
なれそうだ

[岸本斉史のアシスタント紹介　その11]

○アシスタントNo.11　白坂彰男

[プロフィール]

○かなりの田舎出身のため、アシスタントNo.9
村上先輩の田舎トークに、やたらと食いついてくる。

○おとなしく、いつも口元が笑っているため、
アシスタントNo.6の田坂先輩に「何を考えて
いるのか、いまいちつかめない奴だ」と
目の前で言われる。

○マンガを描きたいのだが、モンスターハンターが
楽しすぎてやめられないため、
アシスタントNo.8の板倉先輩にしかられている。

○モンスターハンターが大好きなため、さらに
モンスターハンターが大好きなアシスタントNo.3の
池本先輩を兄のように慕っている。

○かなり絵がうまいため、原作者岸本先輩の
お気に入りである。

ナンバー344：蛇（へび）と…

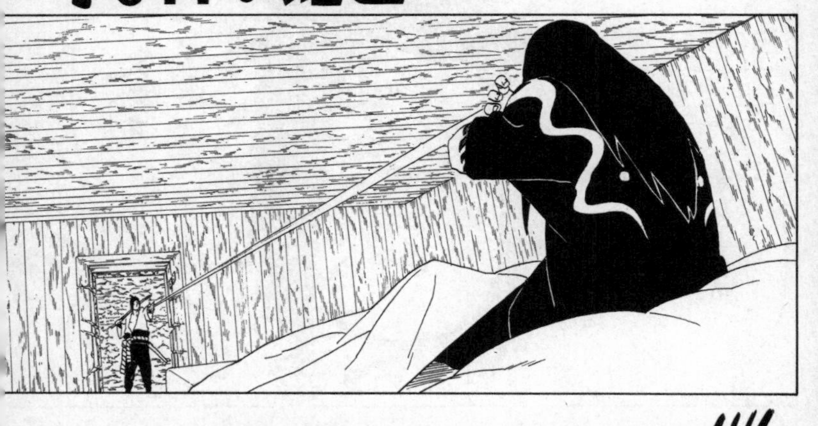

大蛇丸
アンタは
オレより弱い

…もうアンタに
オレの体をくれてやる
必要も無くなったわけだ

言うわね…
うちはのひよっこが

フッ……
ひよっこじゃなきゃ
手に入りそうも
無かったんだろ?
アンタさ…

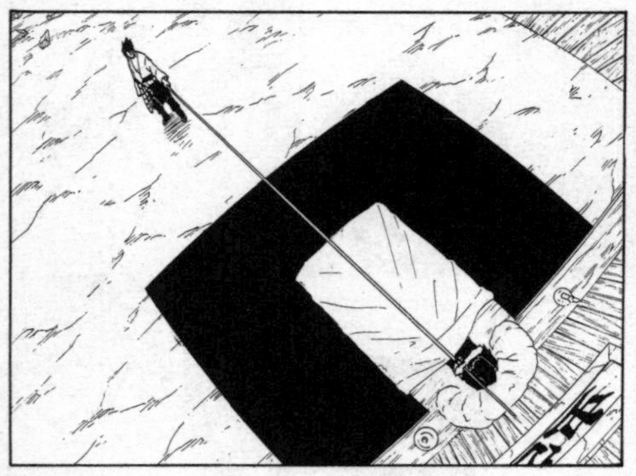

……

イタチが
無理だった
……
だから
ひよっこのオレを
狙ったんだろ？

そうだろ？
〝三忍〟と
謳われた
天才さんよ

だがアンタは
世間で言う
ただの天才でしか
無かった…
うちはの名を
越えるどころか
届きもしない

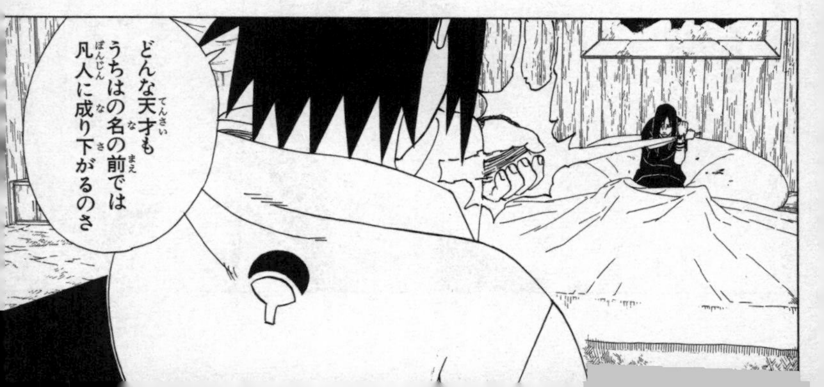
どんな天才も
うちはの名の前では
凡人に成り下がるのさ

自分の体を
薬漬けにし
体を乗り換えて
まで
うちはの力に
いやらしく
近付こうとする
アンタの行為は
…

この名を持つ
オレからすれば
あさましく滑稽だ

それに
アンタのやり方は
好きじゃない…
アンタの目的は
何だ?

この世の道理を
解き明かすだの
何だのと
くだらない
利己的な理由で
他人を玩具の様に
弄び続けてる

…どうして……
…兄さんが…?

己の器を量る為だ

……器を量る……?
…それだけ
それだけの…為に…皆を殺したって…いうのか…?

それが重要なのだ

反吐(へど)が出る
ダッ
ズガガガッ
ドン

ガポッ
ヒュ
ズオ
!
ダッ
ズシャ
白いウロコの大蛇…
それがアンタの正体だったとはな…

体から体へ乗り換える為に…
実験を繰り返した…

なれの果てがその姿か

さあ…サスケ君その体を…
私にちょうだアアイ!!!

ムクッ
シャーー!
ズザザ

ズズオ
ヒシュ
カチ
グッ

バサッ

シュルルル

ハァ
ハァ

ズズズズズズズ

地を這いずる蛇が空を飛びたいと夢見たところで
しょせん無理な話…

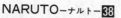

それでもどうにかしたいと巣の中のひよっこを狙ってたお前が
…逆に狙われてたのさ

！
……

これから空高く飛び立つ

…鷹の目にな
……
サスケェェ——ッ!!

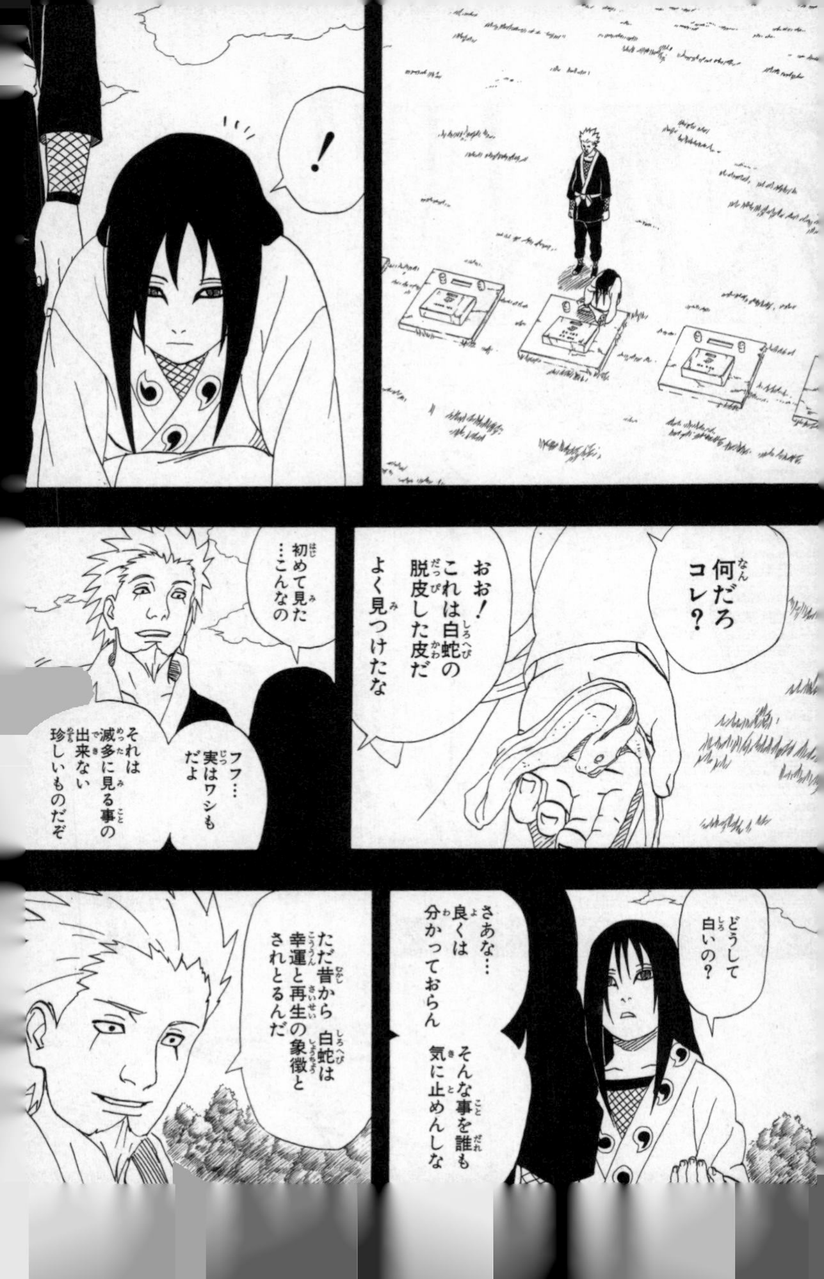
!
何だろコレ?
おお! これは白蛇の脱皮した皮だ よく見つけたな
初めて見た…こんなの
フフ… 実はワシもだよ
それは滅多に見る事の出来ない珍しいものだぞ
どうして白いの?
さあな… 良くは分かっておらん そんな事を誰も気に止めんしな
ただ昔から白蛇は幸運と再生の象徴とされとるんだ

幸運と再生…

………

この墓で見付けたのも
何かの因縁
お前の両親もどこかで
生まれ変わってるかも
しれないのォ…
いつかまた…
大きくなったお前と
会うために

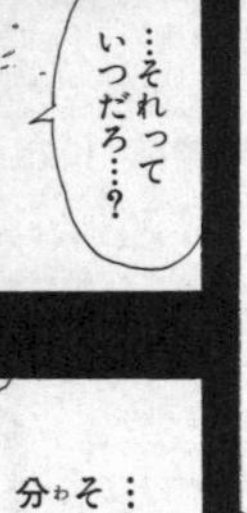
…それって
いつだろ…？

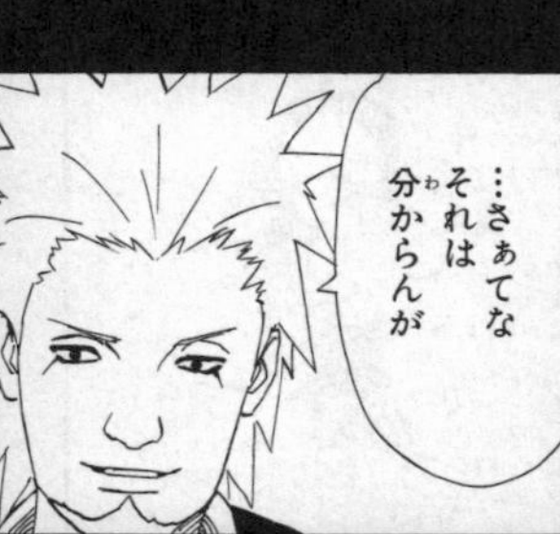
…さァてな
それは
分からんが

NARUTO -ナルト- オリキャラ優秀作発表その①

まきのほうたい
(中にん)
17オ
身長171cm
バクダンをもち
歩いている。
ぶきはバクダン
(くさがくれ)

(兵庫県　辰巳和早さん)

○かなり自爆してらっしゃる感じがよかったです。包帯ぐるぐるすぎてカッコイイ！

名前　銀(ぎん)

・元気いっぱいの豪快なばあちゃん。

(チャクラと気合いで動かす。)

(徳島県　Kさん)

○手押し車を手で押してねぇあたりがすでに豪快です。多数のハガキの中でババキャラはこれ1枚でした。

アホ毛が2本。
蜩
ひぐらし
飛燕
ひえん
男のコ
燕が進化し続けた忍の姿。
空を舞い、超音波で相手の視覚と聴覚を惑わして神経混乱をおこされるコトが出来る。

(大阪府　沖田内葉さん)

○カラーでカッコよく描いてありました。NARUTOの世界観でこんなキャラもありかもね。

3人の兄にかわいがられ育つが、子供扱いされるのがイヤで早く大人になりたいおちゃめちゃん♡
くせ
リボン・ヒモなどを見ると何でもチョウチョ結びしちゃう。
蝶のようにヒラリヒラリと攻撃をかわすので医療班を進められるが、目立ちたがりのため、皆が驚く技を開発する仕事をしたい
蝶ノ結
CHOU NO YUI

(長野県　春さん)

○なんだろ…かわいいんです。…このキャラめちゃめちゃかわいいんですけど…。なんでだろ？

345（ナンバー）：儀式（ぎしき）…!!

ドド…
ス
終わりか…
あまりにも
あっけない
…

?
ガワッ

くっ…

ジュわわわわ…

そろそろ効いてきたみたいね

この大白蛇の体液は空気に触れると気化する
痺れ毒なのよ…
ドイ

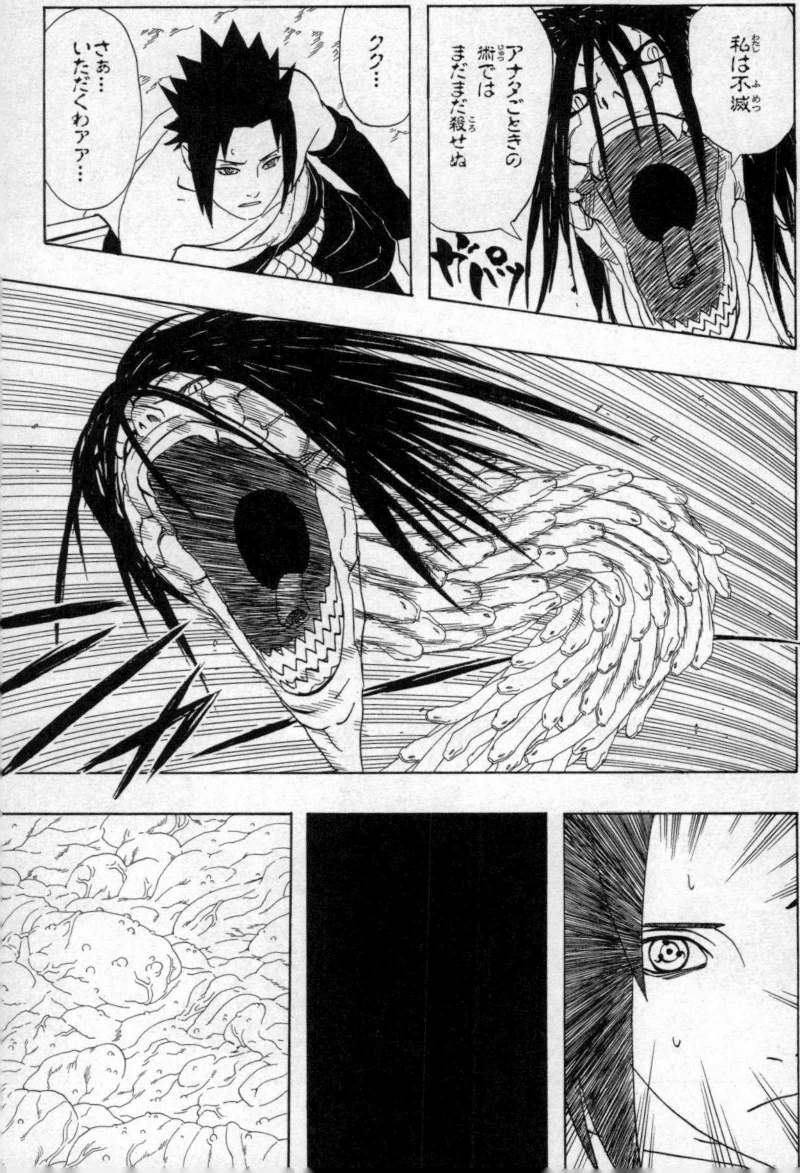

私は不滅
アナタごときの術ではまだまだ殺せぬ
ザバッ
クク…
さあ…いただくわァア…

何だ……
ここは…

モゾモゾ
ここは私の中にある異空間
ここで転生の儀式を行うのよ…

………

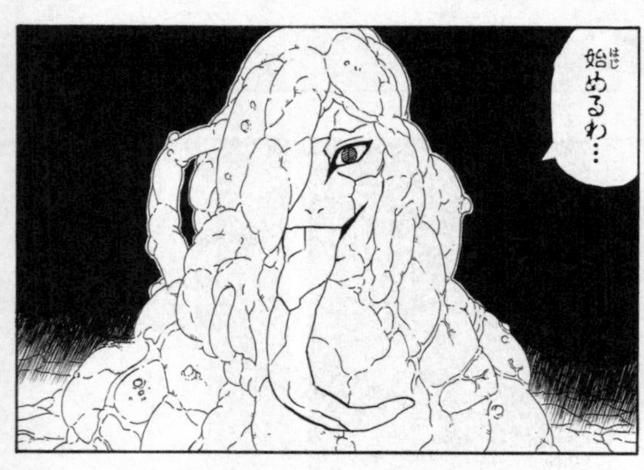

始めるわ…

！
ズズズッ

！

！

ズズズ…

まさか…この私が…
金縛りの幻術に…
何という瞳力…
素晴らしい…

ピクピク
くっ…
ドサッ

大蛇丸…お前の如何なる術も
この眼の前では何の効力も持たない

これは…まるであの時の…

クク…ククク…
その眼…
その眼がついに私のものにイイ…!!

薬じゃ もう
もたないな…
明日か…
早ければ今日にも
転生の儀式を
行なうしかないか…

………

しかし…
あのサスケ君が素直に
うんと言うとは思えない
…

ガチャ
フッ…
まあ
サスケ君といえども
あの儀式には逆らえまいが…

バタン

!
……
ダッ
ザッ
ズ…

どうして
サスケ君がここに!?
!

あれは
巨大蛇の脱皮…
という事は
すでに儀式は
終わったのか!?

…一体
どうなってる!?

ドド…

カブトか?

ザッ
ドッ…

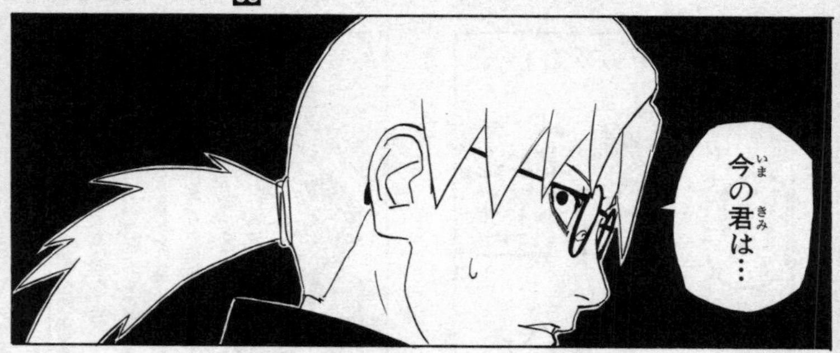
今の君は…

一体どっちなんです?

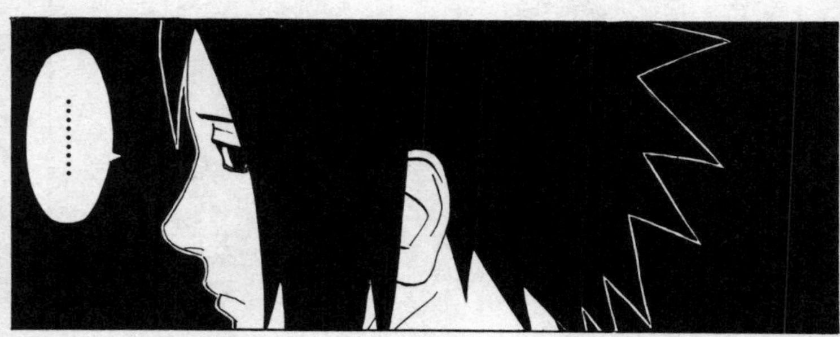
………

NARUTO -ナルト- オリキャラ優秀作発表その②

（愛媛県　綾子さん）

○すごくかわいい!! かわいいだけじゃなく能力もすごい!! その上、性格もいい！ 決定です！

（静岡県　ゆうやさん）

○まとまっているデザインでスタンダードですが、きっちり描かれていてすごく好感が持てました。

（東京都　日向一族さん）

○オリジナリティーあふれる攻撃です！
キャラもオリジナルを大切にしているあたり、
こういうキャラの濃いのは好きです。

（茨城県　たたみさん）

○サーカスのピエロとはナイスなアイデア！
カラーでとてもカラフルに描いてくれました。
笑顔の裏にしこみの武器が怖い。

346：新術の秘密!!

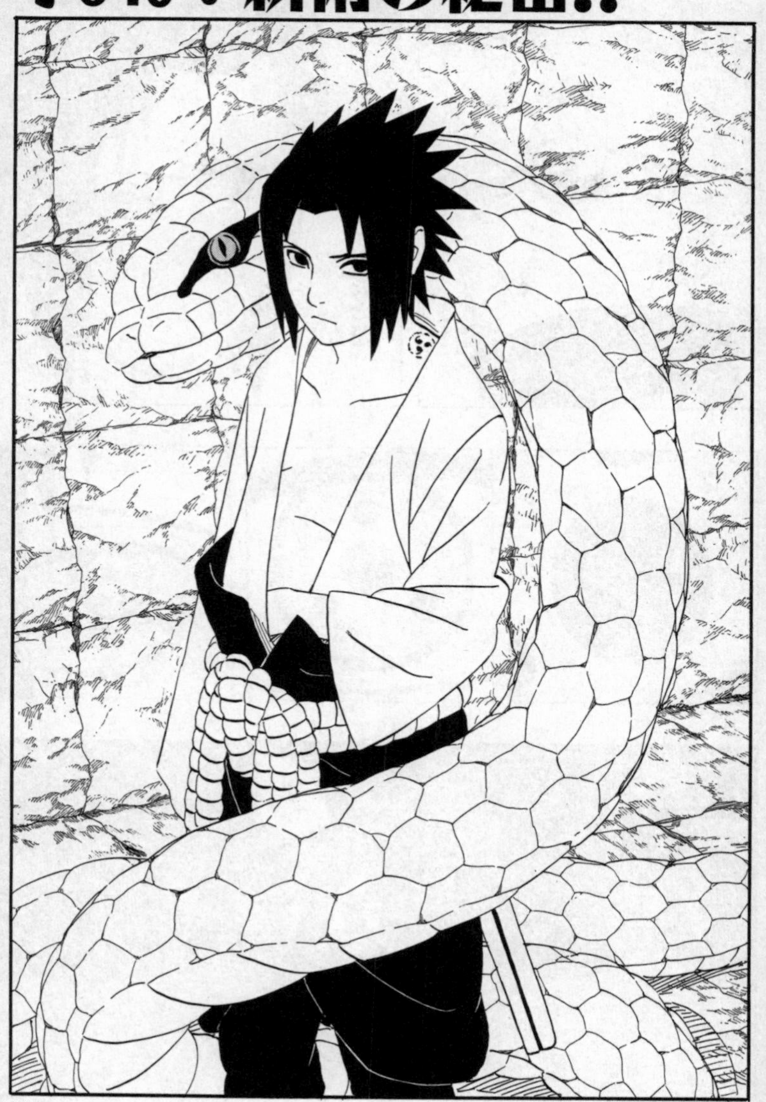

どっちだと思う？

スウー…
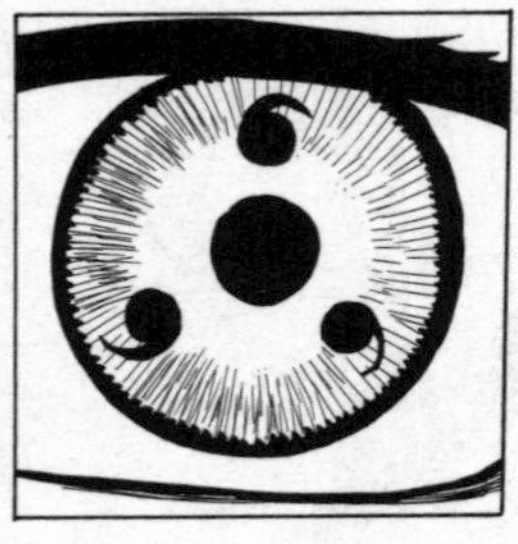
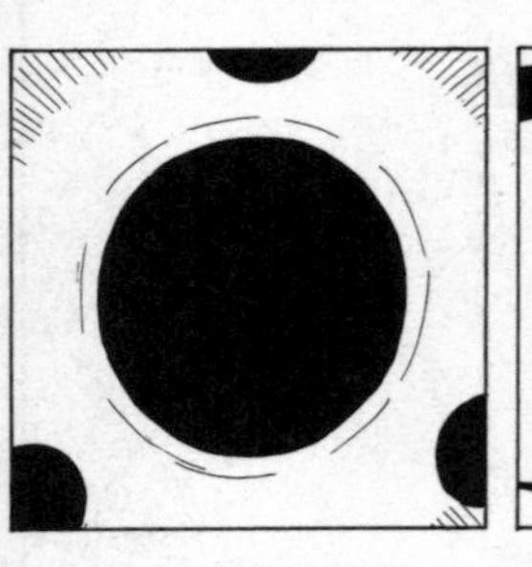

！

!

これは転生の儀式の…
ズズ…

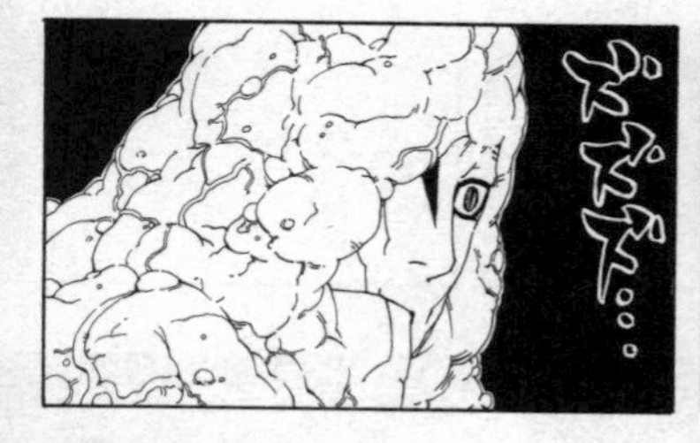
ズズズ…

ズズズ…

ドプ
ズズ

ジワァ…
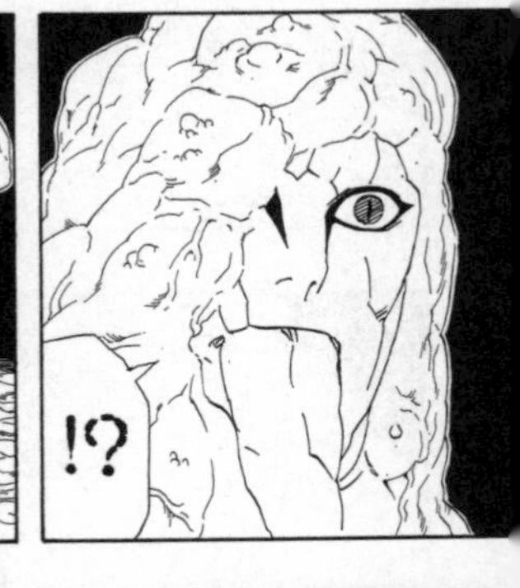
!?
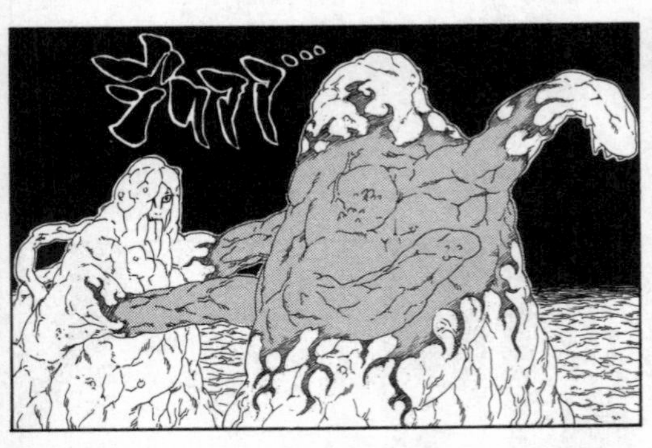
ジュワワ

ドズッ
ドズッ
ズズッ…

!?

ザブ
…！
これは…
ザブ

ズズズズ……
バ…バカな…ここは私の作り出した異空間よ！
ありえない！

ありえない！
ありえないわ！
ここは私だけの…

大蛇丸…お前の如何なる術もこの眼の前では…

ズズズ
分かってるハズだろ…

な…何ておぞましい…
サスケ君の意思が…空間を侵食していく…

ぐっ……

ズブ
もう……
こんな……
ズイ
こんな事があってたまるかア!!
私は不死の大蛇丸だぞ!
こんなところでこの私がア!
私は…この世を解き明かす者…!
…全てを…手にする者な…
こんな…

大蛇丸様が死んだ…

…いや…これではまるで…

オレが奴の全てを乗っ取ったのさ

スッ…

一楽

ネギラーメン
ライス

こやつ…
体細胞に繋がる
経絡系の
一つ一つが全て
断ち切られている
こんな状態は
本来ならありえん
風遁・
螺旋手裏剣…
ここまでとは…
これは
攻撃というより
毒の効果に近いな
細胞レベルに
ダメージを与える
極小サイズの攻撃
…

おそらく"風"のチャクラを無数の小さな刀に形態変化させ
身体の細胞全てを攻撃した…
…………
何て術だ…
ん―…毒か…
攻撃回数というより攻撃濃度で表した方が的確ですかね…
…………

で…
ナルトの方は？
…うむ
問題はそっちだ
やはり…
………
………
カカシ…
その新術
風遁・
螺旋手裏剣は
二度とナルトに
使わせるな

!?
そこまで…
ナルトの右手にも同じ症状が見て取れた…
こやつほどではないがな
これ以上その新術を使い続ければ
ナルトはチャクラが練れなくなるぞ
…これだけの術ですからね
リスクも…

細胞から経絡系が剝がれたら私の医療忍術でも治せん
ナルトにも重々伝えておけ
………

ナルト…あの新術だが…

先生…

!

自分の体の事は
自分が一番分かってる！

オレってば火影になる男だぜ!!
オレはスゲー奴だから何にも問題ねーってばよ!!

ハア……

……

……

おっちゃんごちそーさまだってばよ！
支払いはカカシ先生にねェ〜〜！

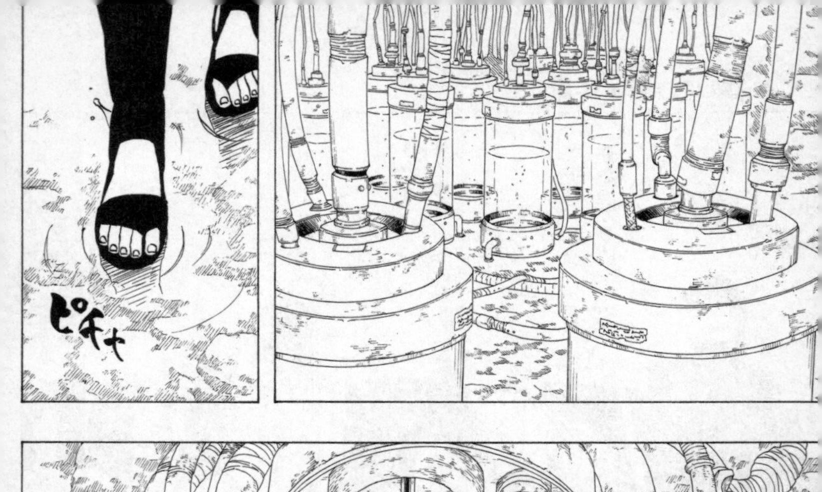

ピチャ

ザッ

やっぱり君か…
なら大蛇丸は倒したんだね
ああ…
そんな事より ここから出してやる
カチャ
ヒュン

ドドドド…
カチン

ザザザァア

やっと出られた…
ズズズ
ありがとうサスケ…

水月…まずはお前だ
一緒に来い

347：寄り道!!

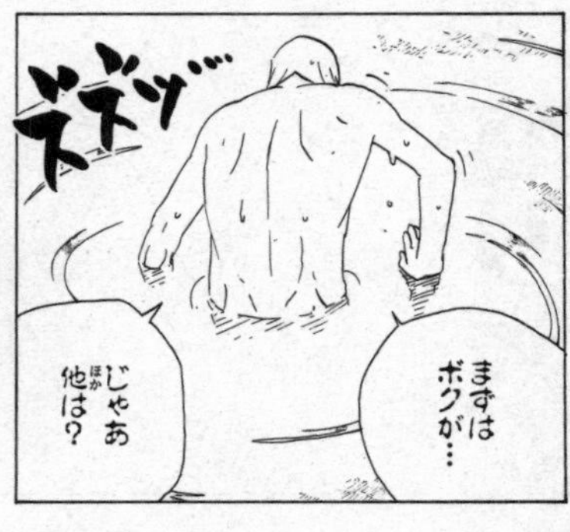

ズズ
まずはボクが…
じゃあ他は？

…あと二人…
北アジトの重吾と南アジトの香燐を連れていく

ホントにイイ？
ズズ

何だ？

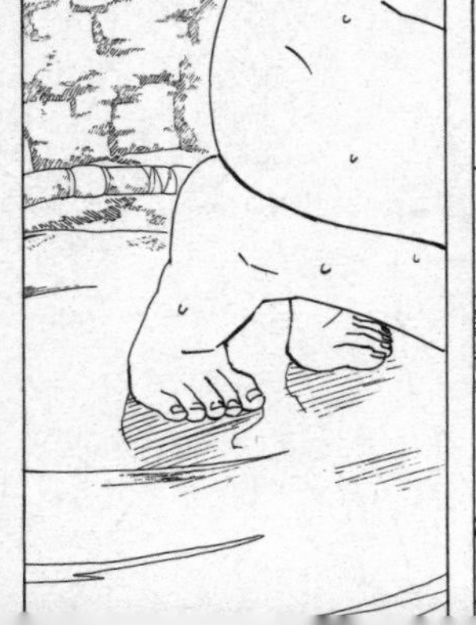

いやね…好きじゃないから…あいつら
仲良くは出来ないなぁ…と
そうね…思ってね
347:寄り道!!
へっ…

特別仲良くする必要は無いが…
協力はしろ

そりゃね…助けてもらったんだし
君がそう言うなら協力するのはやぶさかじゃないけど…

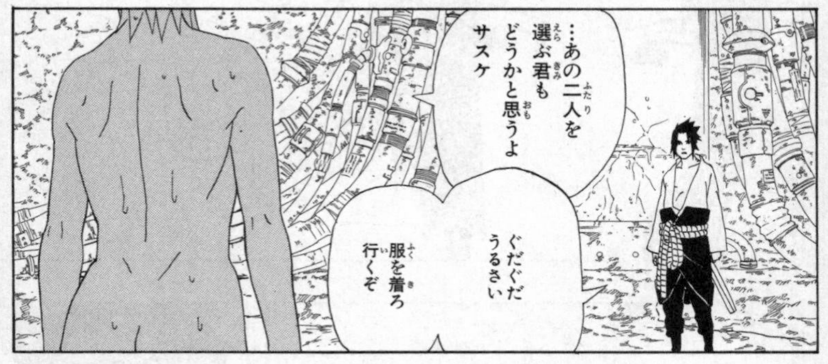
…あの二人を選ぶ君もどうかと思うよサスケ
ぐだぐだうるさい
服を着ろ
行くぞ

ハハ…
…エラく上からの物言いだよね…

君とボクとの関係をハッキリさせておこうか
ねぇ？

………

大蛇丸を倒したからって君が上ってわけじゃない…
みんな狙ってた…
遅かれ早かれ誰かが殺る事になってたのさ…

君はお気に入りで
監禁される事も無く
大蛇丸の側にいた
殺れるチャンスが
みんなよりも
多かっただけだからね

…だからどうした

この状況…
ボクが有利だ

……

…なんてね
冗談
ドッ
この状況で
心拍一つ乱れない
…やっぱり
マグレじゃ
なさそうだね…
安心したよ

君が強いのは
昔から噂で
聞いてたしね

ボクの大先輩
桃地再不斬を倒したのも
君のいた小隊だったんだろ？

………

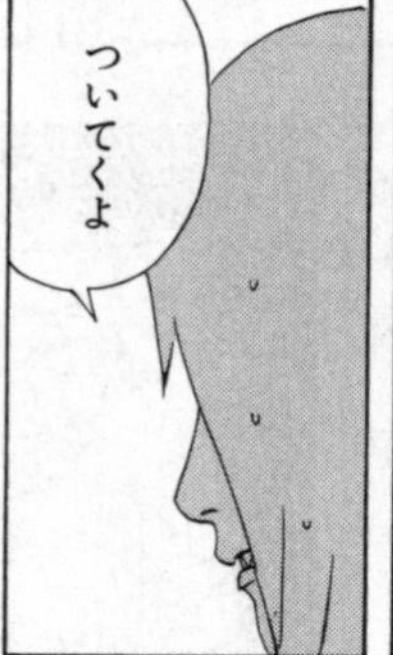
ついてくよ

ただし
二人を連れに
行く前に
少し
寄り道して
欲しい所が
あるんだけど
いいかな？

一楽

ラーメン
一楽
!

…ついに覚えてきたな影分身

何…? 何なの?
!

んじゃ…どんだけ腕を上げたか見てやるってばよ
来い!

行くぞナルト兄ちゃん!!

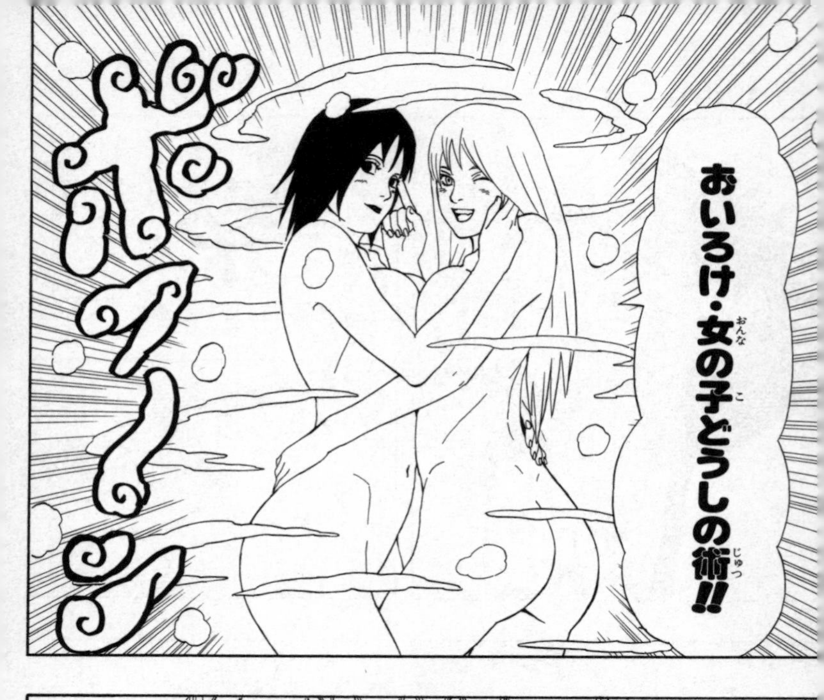
おいろけ・女の子どうしの術!!

オオオオーーッ!!
そう来たかアアーッ!!

……

ボン
どうだ兄ちゃんコレ！
ドンドン
これは女の子が二人で…

ボン
うぼごっ!!!
ズゴン
説明せんでいい…

アンタ達会う度にこんな事ばっかやってんじゃないだろな
あァ!?
いや…この術は陽動にもなるし
それに真剣な二人だけの…勝負とでも言いましょうか…

二人だけでエスカレートしてんじゃないわよ！
この変態忍者どもが!!
陽動？
…こんな術に食いつくのはアンタらだけよ!!

バッ

ボボン
おいろけ・男の子どうしの術!!

キャ――ッ!!
そう来るのオォーッ!!

……

あ…
ボクとサスケ君だ

ハッ!

キショイもん
見せんなってばよ!!
ゴチ
イテ!
ボン

そ…
そうよォ…
そんなくだらない
術ばっか
やってないで
もっと役に立つ
術の修業を…

!

……………
な…
ちょっと
何よォ?
ち…違う
違うわよ!
私がそんな趣味
なわけ…

フッ…
しょせん
同じ穴のムジナ
だ…
コレ…

どうしたの
サスケ？

なると大橋

フン…

サスケ
…何でもない
行くぞ

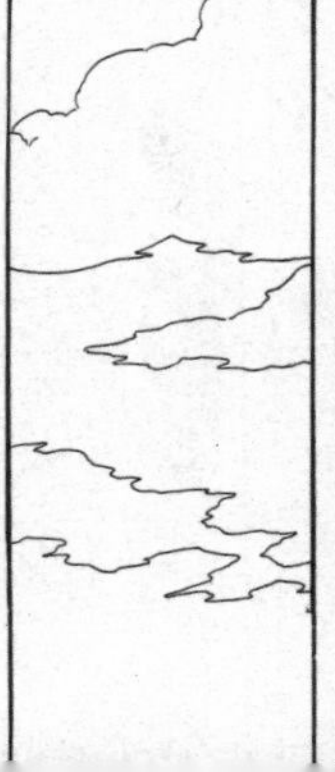

ここだ
水月
!

こんな所にあったとはね…
ザッ

再不斬先輩これはボクがいただくよ
ザッ

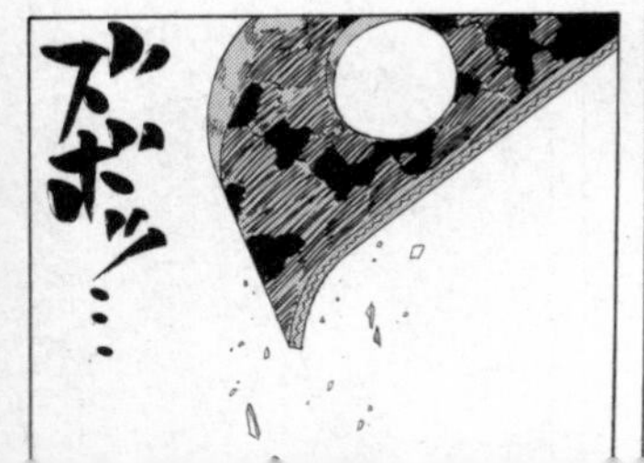
ズボッ…

ズシン
重い…
これが血霧の里…鬼人・再不斬の首斬り包丁か

お前の力で扱えるのか?
ズン

〝忍刀七人衆〞の刀は
代々受け継がれていく
システムだった
七人衆に憧れて
修業を積んできた
からね…ボクは

この大剣があれば
君にも負けない…
かもね

それに重吾を
仲間に加えるなら
この刀は
役に立つと
思うしね…

フッ

…それじゃ
近い方から行こうよ
サスケ
ザッ

ぐわあああ!!
ズン

大蛇丸(オロチまる)が死(し)んだからって勝手(かって)されちゃ困(こま)るんだよォ!

!

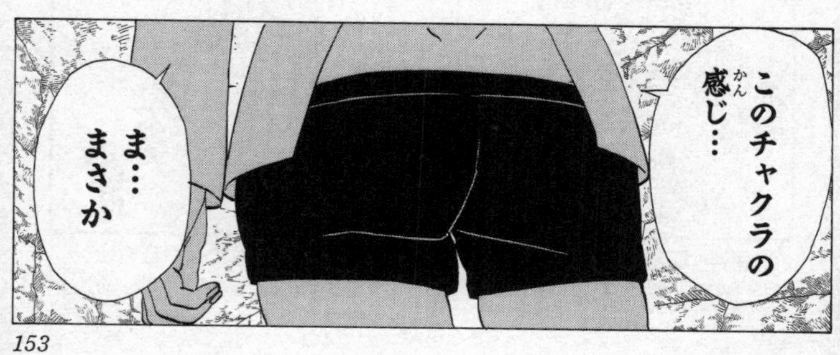
このチャクラの感(かん)じ…
ま…まさか

NARUTO -ナルト- オリキャラ優秀作発表その③

NAME
サヤカ(女)
いつも暗い子。持っている輪は形が変形する。輪についているひょうたんの中から声がする。
輪
返事をすると吸いこまれて2度と戻ってこれなくなる。

(岐阜県 坂下さん)

○なかなかユニークな能力ですね! キャラ絵に暗い感じがよく出てますね。

楓
・19才で上忍になりしかもサクラの従姉です。武器はおもにムチを使った忍術が多いです。
・性格は前向きでかなり明るいのですが内なる性格はかなりおそろしいと言い伝えられていています。
・技の中には「ムチ殺!!」とゆう名の技があるとかないとか…。
・なお、内なるサクラが生まれたのはこの人が原因だとか。

(東京都 澤村智美さん)

○サクラの従姉でサクラの"内なるサクラ"を生み出した原因を作ったのがこの人…すごく強そうです! 決定!

名前 モチヅキ キネ
持っている大きなキネ(ハンマー)を使って戦う。背中にしょっているウスは、もちを作るためにもち米といっしょにいつも持ち歩いている。好きな食べ物はもち。13才。中忍 体重48kgです♪ 男の子♫
とてもおこりっぽく おこると言葉使いが変わる。ゲスとかカス とか♪

(北海道 福原 舜さん)

○おもちを武器にするとはすごい! しかしウスを常に持ち歩いてるのはもっとすごい! かなりのパワーキャラとみた!

・少しうるさく、ときに静か。
・喜怒哀楽が激しい。

(天気や温度をかえることができる。)
(人の魂を吸いとることができる。)

(福島県 Pumpkinさん)

○天候をあやつる能力があるんですね。その上、魂まで吸い取るとは…むちゃくちゃ強いなこのキャラ!

348（ナンバー）：次（つぎ）なる一人（ひとり）!!

ザ

一つ聞いていいかな？
何だ？

どうして仲間を集めるの？

オレには目的がある…
その目的に近付くには
小隊の方が効率がいい

でも…何でボクが？
大蛇丸に近付いた時から
こうなった時の事を考え力のある忍を前もって選抜しておいた

ヘッ…

…けど…
だったら
香燐を選ぶ事は
無いと思うけどね
あいつは
ボクと違って
大蛇丸の部下だよ

あいつには
ボクも何度か
体をいじくられた
し…
第一 あの性格が
好きになれない

………

確かに
扱い易そうな
強い忍は 他に
いくらでもいた
しかし
奴は他に無い
特別な
能力を持ってる

ザザー…
まあ…
それは認める
けどね

ザッ
ザッ
!

アレは…うちはサスケだ!
どうしてこんな所へ?
待てよ…奴がここに大蛇丸と来ないって事は
あの噂は本当かも知れんぞ!

や…やっぱりそうなんだ!!
大蛇丸を倒したから
オレ達を解放しに来てくれたんだぜ!!

バーカ そんな事あるわけねーだろ
大体 あの大蛇丸がやられるわけが無い

!
!

やっぱり
お前ら か…

サスケ…アンタがここへ一人で来るって事は
あの噂はやっぱり本当だったみたいだな

ひどいな…ボクもいるってのに
で…ここに何の用だ？

サスケが君に話があるんだってさ
立ち話も何だから別部屋に案内してくれないかな
久し振りに歩いたらヘトヘトでね…

フン…

香燐ついて来い
お前が必要だ

はぁ!!?
何でお前なんかに? ウチはここを任されてんだよ!!

大蛇丸はもういない
捕まえてる奴らはどうすんだよ!?

水月… このアジトに捕えられてる奴らを 全員解放しろ

なっ…

ハア…
相変わらず命令口調だな

ドッ
勝手な事すんじゃねーよ！

これで監視役も必要なくなるわけだ
どうする？

ガチャ…

お断りだね！
大体 アンタについていく義理はないだろ!!
…

……

仕方ない…
お前がそこまで嫌がるのなら他を当たろう

そうか…
うちはサスケが大蛇丸を倒したというのは本当だったか!
ああ そうだよ

捕まってるオレ達はどうなる?

もちろん自由だよ

ほ…ほんとか!?

ああ…ボクだってこうして外にいるだろ

今から鍵を開けるよ
ただ その前に
みんなに一つだけ
お願いがあるんだ

何だ!?
何でも言ってくれ!

大蛇丸を倒し
ボクたちの自由を
取り戻してくれた
のはサスケだ
外に出たら
その事を
言い広めてくれ

この世に安定と
平和をもたらす
男が現れたと
ね…
クク…
ドッ

ガチャ

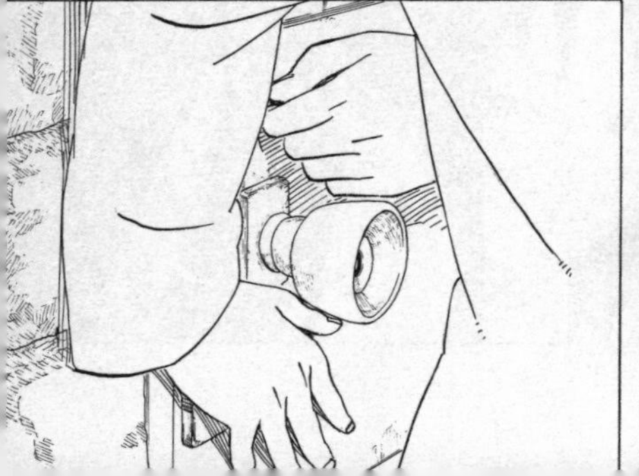

行く♡
?

ドッ

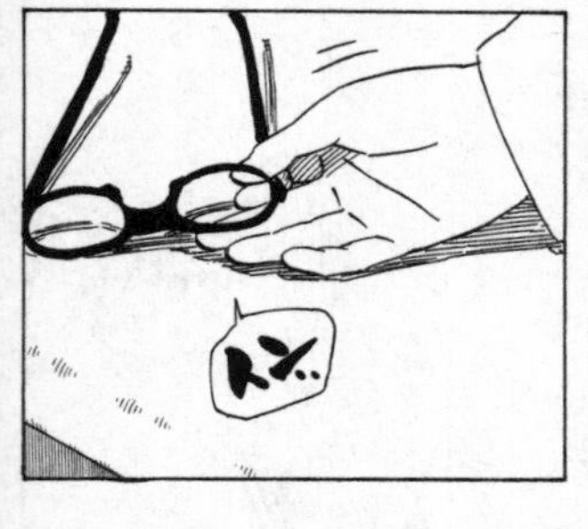
トン…

サスケがぁ〜どうしてもって言うならぁ…
ついて行ってやるよぉ

どういう事だ?
気の変わりが早いな

良く考えたらぁ
見張りも飽きちゃってたところだしィー

中から鍵…
あの女…

フン…

お前…少し離れろ
グイグイ
ねェ…どうせならウチとサスケだけでいいんじゃない♡
水月なんか要らないだろ…アレ

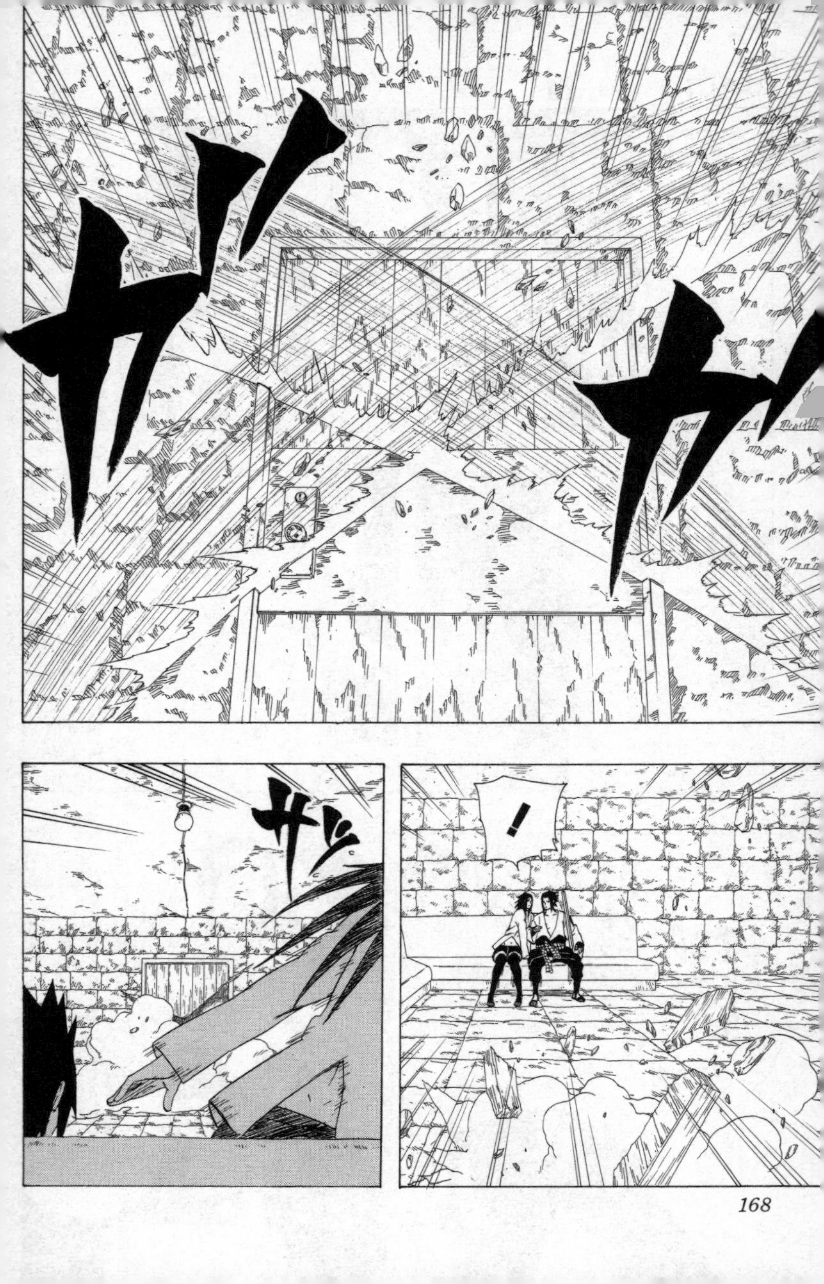
ザザ
サッ
!

さぁ行こうよ
サスケ
香燐はダメだったようだしね

いや…
どうやらついて来るようだ

だ…誰が行くっつった!
ザッ
ウチはたまっ…たまたま一緒に行方が同じだった…行くだけなんだけで…!
えっと…!

？

へー なら
ちょうどいいね
途中まで
一緒に行こうよ

ああっ
途中までな！

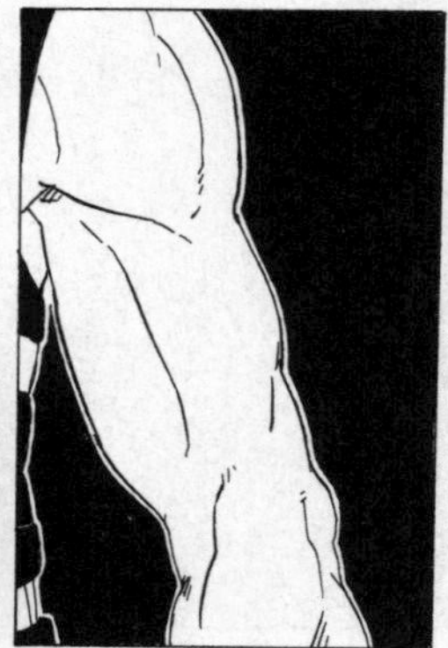

さて…
次は重吾だね

なにィ…
重吾だと！
あんな奴を
仲間にすんのかァ!?

途中まで一緒なだけな
君にはカンケーない
でしょ
カ…
カンケーないけど
それがどうした！
やんのか
コラ！

………

いや…
やっぱ女…
やっぱ女がいいな

いや 待てよ…
やっぱり男か…
やっぱり男がいいか

いや…やっぱり女か…女が
いや…それよりも男…

NARUTO -ナルト- オリキャラ優秀作発表

今回のNARUTOオリキャラ最優秀作は、（福島県 髙橋 悠さん）に決定!!

髙橋 悠さんには岸本が描いたイラストの複写にサインを入れてプレゼントします。楽しみに待っててね！
というわけで、引き続きオリキャラ募集中なので、どしどし送って下さいね。待ってます！

宛て先は
〒119―0163
東京都神田郵便局 私書箱66号
集英社ＪＣ
〝ナルトオリキャラ係〟まで！

※ただし送るのはハガキだけに限ります。封書じゃダメだよ

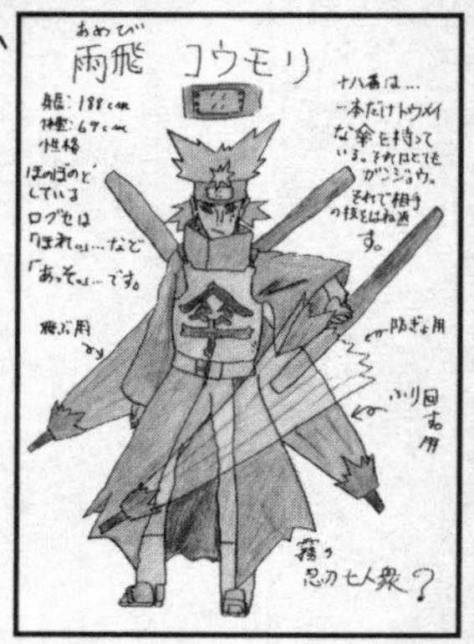

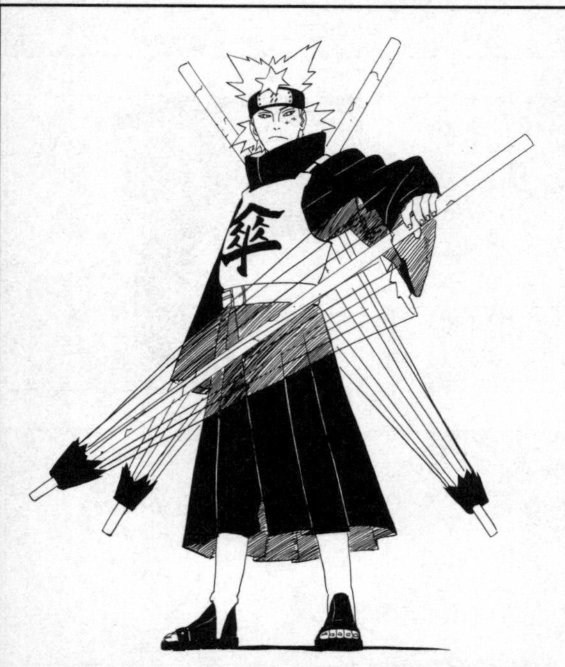

◀岸本がイラスト化したのがこれだ!!
［雨飛コウモリ］

○ただただ、カッコイイ。キャラの目が好きです！

☆なお、デザインはオリジナルに限ります。そしてキャラは身体全体とキャラの名前を描いて下さい。
○応募されました文章、イラスト等は、一定期間保管されたあと廃棄されます。保存しておきたい場合は、あらかじめコピーをとってからご応募下さい。また、掲載時に、名前や住所等を秘匿したい場合には、その旨を明記して下さい。ご応募いただきました文面の著作権は、集英社に帰属します。

ナンバー349：北アジトにて
また歩くのか…
もうヘトヘトだよ
…

ヘッ…これから
北アジトに行くって
いうのに
そんなんじゃ
着いた途端に
殺されちまうぞ

ボクは
地図でしか
知らないけど
…
そんなに
ヤバイとこ
なんだ?

北アジトは
ただのアジト
じゃない…

?

あそこは…

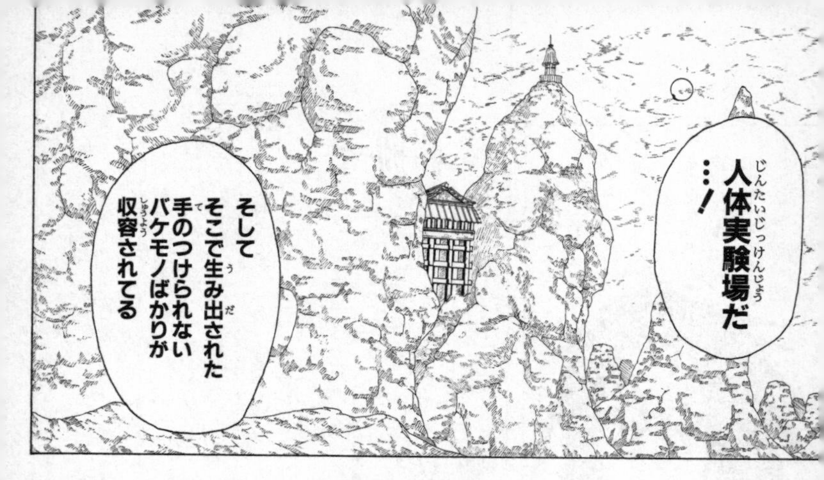

人体実験場だ…!
そしてそこで生み出された手のつけられないバケモノばかりが収容されてる

男…
……いや…やっぱり女…

349：北アジトにて

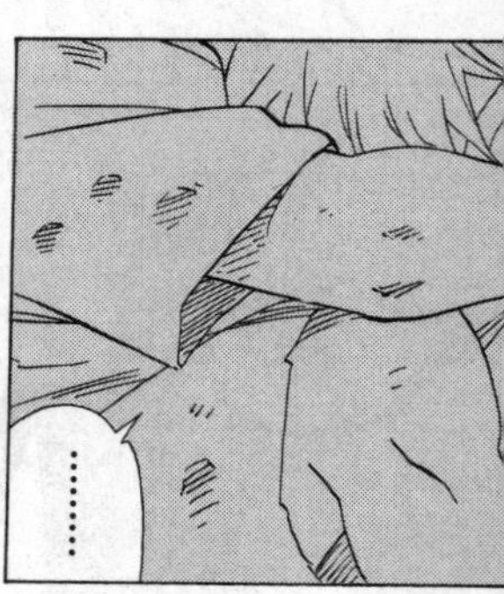

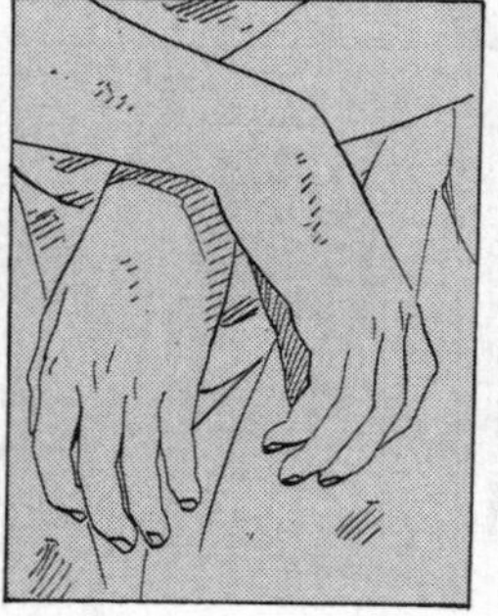

……次に殺すのは……
やっぱり男だ…

ドン
ぐわああ!!
!

そうか…もう始めやがったか…

ねぇ…疲れただろ?
少し休憩にしないか?
ズズ…

だらしない奴だな！
北アジトまでまだまだだぞ！

キミとは行き先が違うんだ
ボクの心配は結構
もう行ってくれ

ウチも北アジトに用があるのを思い出した！
そっちを先に行く事にしたんだよ！

チィ…

………
水月…
何でアンタが
サスケに付いて来る？

ボクにはボクの
目的がある
サスケと居ると
それが叶うからさ…

て言うかそりゃ
こっちのセリフ
だよね…
ホント

…アンタたちの
目的が何かは
知らないけど…
重吾の事を
知ってて仲間にするって
言ってんのか？

少しはね
一度
手合せさせられた
事もあるよ

面白い能力を
使う奴で
かなり強かったけど
…何考えてるか
分からない感じで
好きにはなれなかった
けどね

噂じゃ自分から大蛇丸に捕まりに来たらしいし…
頭がどうかしてる

………

どうして自ら大蛇丸の所へ来たか分かるか？
さあね…バカだからだろ？

………

……？

…何で？

更生するためだ

更生？

ああ……
重吾にとっては大蛇丸のアジトは更生施設の様なものなのさ

…重吾が何を更生したい？

…麻薬と同じだ…
自分だけではどうにも出来ない…

？

その殺人衝動を抑えたかったのさ

………

ヘッ…人殺しが大好きなイカレヤローってわけか…
イヤ…そうじゃない

?

その異常な衝動は 普段は抑え込んでる
けど それが限界に来た時 奴は我を忘れ
恐るべき殺人鬼へと性格も見た目も変貌する

彼がそんな奴だったとはね…
やり合った時は別の能力を使ってたけど…

大蛇丸にとってその重吾の能力は魅力的だった…
そこで大蛇丸は重吾の体液から
他の忍にも同じ状態を引き起こす酵素を開発した

アンタたちも知ってるだろ?

……?

それが…

呪印だよ…!

重吾はその唯一のオリジナルだ
オレはここから出る邪魔する奴は殺す!!
さぁ…次はどいつだ!!
ズズズズ

ねぇ…
少し休まない?
ドサッ
水月てめー!
休んでばっかじゃ
ねーか
もうアジトだぞ!

その刀か?
その刀が重いの
か!
ソレ置いてけ
コラァ!!
おい…

!?

北アジトの男だ…
まだ息がある

何があった?
お…お前はうちはサスケか…
助けてくれ…

どうしたんだ?

オ…大蛇丸が死んだという情報から…始まった
囚人達が暴れ出した…

このままじゃ…

ぐっ…

あらら…
死んじゃった…

!

バッ